TOME 2 ☆ LA COLLISION

DU MÊME AUTEUR :

L'ESCROC
L'ÉVASION
PIÉGÉ

LES 39 CLÉS

FAUSSE NOTE À VENISE – TOME 2

EVEREST

LE DÉFI
L'ESCALADE
LE SOMMET

NAUFRAGÉS

LA TEMPÊTE
LA SURVIE
L'ÉVASION

SOUS LA MER

COFFRET COMPRENANT :
TOME 1 – L'ÉPAVE
TOME 2 – LES PROFONDEURS
TOME 3 – LE PÉRIL

DROIT AU BUT

DROIT AU BUT 1-4 (COLLECTION COMPLÈTE)
N° 1 – LES FLAMMES DE MARS
N° 2 – L'ÉQUIPE DE RÊVE
N° 3 – L'IMPOSTEUR
N° 4 – LA FOLIE DES FINALES

TITANIC

TOME 1 – INSUBMERSIBLE
TOME 2 – LA COLLISION
TOME 3 – SOS

TOME 2

LA COLLISION

GORDON KORMAN

Texte français de Marie-Josée Brière

Catalogage avant publication de Bibliothèque et Archives Canada

Korman, Gordon
[Collision course. Français]
La collision / Gordon Korman ;
texte français de Marie-Josée Brière.

(Titanic ; 2)
Traduction de: Collision course.
Pour les 9-12 ans.

ISBN 978-1-4431-1619-0

1. Titanic (Navire à vapeur)--Romans, nouvelles, etc. pour la jeunesse.
I. Brière, Marie-Josée II. Titre. III. Titre: Collision course. Français III.
Collection: Korman, Gordon. Titanic. Français ; 2.

PS8571.O78C6514 2012 jC813'.54 C2011-905750-6

Édition publiée par les Éditions Scholastic,
604, rue King Ouest, Toronto (Ontario) M5V 1E1.

5 4 3 2 1 Imprimé au Canada 121 12 13 14 15 16

Pour Daisy

☆

CHAPITRE UN

RMS *TITANIC*
VENDREDI 12 AVRIL 1912, 16 H 50

– Mais, madame Rankin! s'exclama le steward, perplexe. Vous avez quatre fils, pas cinq!

Cinq garçons de six à dix-sept ans étaient alignés, du plus grand au plus petit, devant les couchettes superposées de l'étroite cabine de troisième classe.

– Je pense que je connais mes garçons, monsieur Steptoe, répliqua la petite dame aux flamboyants cheveux roux. Aidan, Curran, Patrick, Finnbar et Sean – le petit, là.

– Si je vous pose la question, balbutia le steward qui commençait à s'énerver, c'est parce que le deuxième officier Lightoller croit qu'il pourrait y avoir un passager clandestin à bord du *Titanic*...

– Alors il vous a envoyé à l'entrepont. Évidemment il croit que c'est le seul endroit où un criminel pourrait se cacher, hein? termina froidement Mme Rankin.

– Je veux seulement dire que si mes souvenirs sont exacts, poursuivit patiemment le steward, vous avez embarqué à Queenstown avec vos *quatre* fils : trois ici, dans votre cabine, et le plus vieux dans une couchette à l'avant, avec les hommes célibataires.

– Eh bien, vos souvenirs ne sont pas exacts!

Mme Rankin avait élevé sa famille toute seule, dans le comté de Kilkenny. Elle avait beau être de petite taille, elle ne manquait pas de caractère.

– Je ne suis peut-être pas millionnaire comme votre John Jacob Astor, là-haut en première classe, reprit-elle, mais vous n'avez pas le droit de me faire subir un tel interrogatoire dans l'intimité de ma cabine!

– Madame, un entêtement tel que le vôtre serait difficile à croire même de la part de la plus obstinée des mules! s'exclama le steward rouge de frustration. Je vais revenir avec le registre des passagers, et je vais vous prouver que j'ai raison!

Furieux, il sortit en claquant la porte derrière lui.

Paddy Burns, quatorze ans, sortit de la file des garçons. Il avait le même teint pâle que les jeunes Rankin, et les mêmes vêtements : une chemise de travail toute simple, une culotte jusqu'aux genoux et de longues chaussettes, mais il n'était pas de la famille. Cela ne faisait-il vraiment que dix jours qu'il avait quitté les rues de Belfast, où il avait survécu toute une année en détroussant les passants? À cette époque, le majestueux *Titanic* n'était qu'une immense structure en construction amarrée à un quai de la Harland and Wolff, ses quatre hautes cheminées projetant leur ombre sur Paddy, sur Daniel, et sur la moitié de la ville.

Daniel... Le meilleur ami qu'on puisse avoir. Mort par ma faute...

Paddy secoua la tête pour chasser ce souvenir. Toute la tristesse du monde ne suffirait pas pour ramener Daniel à la vie. Et puis, ce n'était pas le problème des Rankin. Cette famille avait risqué gros pour soustraire Paddy à la curiosité de l'équipage : cacher un passager clandestin était un crime grave.

– Ce steward va revenir, c'est sûr, s'inquiéta Paddy. Et il va apporter le registre des passagers pour prouver combien il y avait de personnes dans votre groupe.

– Alors, on lui dira qu'il doit avoir la cervelle fêlée, rétorqua Mme Rankin sans se démonter, parce que c'est ce qu'on lui dit depuis le début. C'est lui qui se trompe, un point c'est tout.

– Mais...

– Nous, les Irlandais, lui dit-elle avec un sourire maternel, si on a survécu toutes ces années sous la domination anglaise, ce n'est pas parce qu'on est faibles et stupides.

Paddy hocha lentement la tête.

– D'abord, les vêtements, et maintenant, vous êtes prête à mentir pour me protéger... Je ne sais pas comment je pourrais vous remercier.

– Tu me remercieras en te faisant une bonne vie en Amérique, le rassura-t-elle. Les Anglais peuvent nous voler nos récoltes et prétendre qu'il y a une famine. Mais notre fierté... Ça, ils ne pourront jamais nous la prendre, même pas avec leurs soldats et leurs fusils. Et maintenant, file, avant que M. aux-grands-airs ne revienne.

Paddy sortit dans le couloir de troisième classe. Depuis qu'il s'était embarqué clandestinement sur le *Titanic* sans le vouloir, il avait exploré tous les coins et recoins du magnifique navire. L'entrepont était loin d'être aussi opulent et luxueux que la première classe, ou même la deuxième. Mais le navire tout entier était flambant neuf, propre et fraîchement peint. Et puis, se dit-il, amusé, il n'avait vu que trois rats en tout : Daniel et lui en avaient chassé beaucoup plus dans l'imprimerie abandonnée, à Belfast, où ils s'étaient installés.

Belfast... La ville lui paraissait déjà à des millions de kilomètres, et sa vie là-bas semblait remonter à une centaine d'années.

Te faire une bonne vie en Amérique... Les paroles de Mme Rankin résonnaient dans sa tête. Paddy méritait-il seulement une vie, après ce qui était arrivé à Daniel à cause de son insouciance? Peut-être pas. Mais le monde continuait à tourner, et le navire continuait à naviguer. Il devait vivre ici et maintenant, pas dans le passé. S'il n'avait plus vraiment de raison de vivre, l'autre option le tentait encore moins.

Il avait des choses urgentes à régler. Il devait absolument trouver un endroit où se cacher, un endroit où Lightoller et les autres officiers ne le trouveraient pas.

Mais il avait d'abord une commission à faire.

Il prit un escalier qui menait au pont E et se hâta dans le vaste couloir que l'équipage avait baptisé « Scotland Road ».

Il eut la désagréable impression de se faire dévisager par quelques membres d'équipage. Cela le rendit nerveux. Mais le passager clandestin qui avait été vu la dernière fois portait un uniforme de steward. Habillé comme un jeune passager de troisième classe, il devrait être à peu près en sécurité, du moins tant qu'il ne rencontrait pas l'officier Lightoller ou l'un des marins qui l'avaient vu de près.

Il tourna dans un autre couloir et arriva au bureau du capitaine d'armes. À bord, tout le monde savait maintenant que deux passagers de deuxième classe avaient été mis au cachot après une tentative de meurtre. Paddy savait très bien de qui il s'agissait, puisque c'était lui qui avait failli se faire tuer.

Écrasé contre la cloison, il jeta un coup d'œil par la porte ouverte. Il n'y avait personne dans la pièce. Sans se soucier du danger, il entra et se retrouva face aux cellules de détention.

Ils étaient là, en effet : Kevin Gilhooley, le frère du criminel le plus puissant de Belfast, et son imposant garde du corps, Seamus, dont le nez avait été fracturé trois fois.

– Vous êtes beaux à voir, derrière les barreaux, fit Paddy, satisfait.

Ces deux-là avaient tué Daniel et ensuite, ils avaient essayé de faire passer Paddy par-dessus bord sur le pont supérieur du *Titanic.*

– T'en as de la chance, petit rat, tu peux me croire, gronda Kevin Gilhooley. Mais la chance n'empêchera pas ce navire d'arriver à New York. Et alors, tu seras à moi.

– Et à moi, ajouta Seamus d'une voix nasillarde.

Paddy leva le menton d'un air de défi.

– Vous ne m'attraperez jamais! Vous irez en prison pour ce que vous avez fait!

– Tu crois que les Américains s'intéresseront à un incident qui s'est passé en pleine mer, à l'autre bout du monde? demanda Kevin Gilhooley en secouant la tête. Profite bien de ton beau voyage, mon garçon. Va au gymnase, et paie-toi un bon bain de vapeur dans les bains turcs. Parce que, quand je te mettrai la main dessus, tu couineras toi aussi, comme ton petit copain au chantier naval de Belfast.

En entendant Kevin Gilhooley évoquer le meurtre de Daniel, *s'en vanter*, même!, Paddy perdit toute capacité de réfléchir rationnellement. Saisi d'une rage aveugle, il s'empara du pichet d'eau glacée posé sur le bureau et le lança de toutes ses forces vers la cellule du criminel.

Le pichet se brisa à grand bruit contre les barreaux, libérant un torrent d'eau et projetant des éclats de verre sur Kevin Gilhooley. Le hurlement de surprise qui sortit de la gorge du criminel avait été provoqué plus par sa colère contre Paddy que par l'eau glacée.

– *Gardes!*

Paddy décampa en vitesse en s'éloignant de Scotland

Road, où il risquait fort de rencontrer des membres d'équipage qui accouraient sûrement en réponse aux cris de Gilhooley. Il s'engouffra dans un petit escalier qui montait. Sans s'attarder au pont D, il se rendit jusqu'au pont C, où il s'arrêta quelques instants pour reprendre son souffle.

Un homme bien habillé, en costume sombre, lui jeta un regard désapprobateur en passant à côté de lui.

L'épaisseur de la moquette, les murs lambrissés et les garnitures en laiton brillant lui indiquèrent qu'il était maintenant en première classe. Ainsi vêtu, comme un gamin de l'entrepont, il détonnait un peu trop.

Les passagers de troisième classe n'étaient pas admis dans ce secteur fréquenté exclusivement par des millionnaires. Cela ne changeait pas grand-chose pour Paddy qui, à strictement parler, n'était admis *nulle part*. Mais, s'il était intercepté et interrogé, quelqu'un se rendrait compte tôt ou tard que le mystérieux passager clandestin et lui ne faisaient qu'un.

Il devait sortir de là. Mais pour aller où? Il ne pouvait pas descendre. En ce moment même, on devait le chercher sur le pont E. Et s'il montait, il ne ferait que s'aventurer encore plus dans le monde très fermé de la première classe.

Il aperçut au bout du couloir un éclair bleu marine, la couleur des uniformes des officiers, et se figea. Lightoller?

Non, mais ce n'était pas beaucoup mieux. C'était le cinquième officier Lowe, connu pour sa voix tonitruante et ses crises de colère.

Désespéré, Paddy regarda autour de lui. Le couloir n'offrait aucune cachette, seulement des cloisons solides et des cabines verrouillées.

À l'autre bout du couloir, une femme de chambre poussait un chariot de toile dans lequel elle ramassait serviettes et draps. Paddy la vit frapper à la porte d'une cabine, l'ouvrir avec un passe-partout et disparaître à l'intérieur.

En une fraction de seconde, il prit sa décision. Il courut dans le couloir et plongea dans le chariot, s'enfonçant profondément dans un tas d'épaisses serviettes de bain. Un instant plus tard, la femme de chambre ressortit de la cabine. Elle jeta quelques serviettes dans le chariot et repartit avec.

Paddy retint son souffle, guettant un bruit de poursuite sur la moquette. Les serviettes qui le couvraient allaient bientôt être soulevées, et l'officier Lowe serait là, à le fixer d'un air méchant...

Mais non. Le chariot s'immobilisa. D'autres serviettes vinrent s'y ajouter, et la femme de chambre reprit sa tournée.

En changeant de position, Paddy sentit le coin d'une feuille de papier pliée lui gratter la peau. Le dessin de Daniel... Il le gardait contre son cœur depuis Belfast. Il ne savait vraiment pas pourquoi. Il chérissait cette page froissée, et en même temps, il la détestait.

Il la chérissait parce qu'elle venait de Daniel. Il la détestait parce qu'elle avait coûté la vie à son ami.

M. Thomas Andrews lui-même, le créateur du *Titanic*, avait mis Daniel au défi d'imaginer de quelle façon son magnifique navire, réputé insubmersible, pourrait couler. Et Daniel avait réussi! C'est du moins ce que pensait Paddy. Il avait eu beau se creuser la tête, il ne comprenait absolument rien à l'étrange dessin qu'avait fait son ami. Mais Daniel était très malin, plus malin même que les architectes et les ingénieurs qui bâtissaient des navires océaniques! Il méritait bien mieux que son triste sort de gamin des rues.

Paddy s'assombrit. Daniel avait été assassiné pendant qu'il apportait ce dessin à M. Andrews. En ce sens-là, Paddy le maudissait, ce dessin, tout comme il se maudissait lui-même d'avoir lancé Kevin Gilhooley à leurs trousses.

Les rêveries de Paddy furent interrompues par le cliquetis d'une grille, suivi de la voix de la femme de chambre : « Pont B, s'il vous plaît ». Puis ils se mirent à monter.

Paddy n'avait jamais pris d'ascenseur électrique avant d'entreprendre ce voyage, mais pour les passagers du *Titanic*, cela n'avait rien d'extraordinaire. Il y en avait trois à bord du navire.

Il venait donc d'échapper au cinquième officier Lowe. C'était une bonne chose. Mais maintenant, il était aux prises avec un autre gros problème.

Là-haut, en plein cœur de la première classe, comment pouvait-il espérer sortir de ce chariot à linge?

Il était emprisonné dans un cocon de luxe.

CHAPITRE DEUX

RMS *TITANIC*
VENDREDI 12 AVRIL 1912, 17 H 05

– Ne vous inquiétez pas du froid, très chères! La stimulation par l'exercice physique va bientôt vous réchauffer!

Sa panse rebondie tressautant à chacun de ses pas, le major Mountjoy était en train d'installer un jeu d'anneaux sur une partie plus large du pont promenade A.

Sophie Bronson et Juliana Glamm échangèrent un regard peu convaincu. À quel genre d'exercice physique pouvaient-elles s'attendre de la part de leur compagnon de table, qu'elles avaient surnommé « major Rouflaquettes » à cause de ses énormes rouflaquettes rousses, et qui était probablement la personne la plus ennuyeuse à bord du RMS *Titanic*? Elles avaient parfois l'impression qu'il comptait passer la totalité du voyage à les suivre comme un chien pisteur. Et elles étaient toutes les deux déterminées à l'éviter le plus possible.

– Eh bien, allons-y, annonça Sophie en soupirant. Ces anneaux ne vont pas s'envoler tout seuls.

Elle intercepta un regard appuyé de son amie qui, en fille de comte, était plus habituée qu'elle aux bonnes manières de la haute société. Sophie était américaine, résolument tournée vers ce 20e siècle qui commençait. Elle tenait cette attitude de sa mère qui avait des idées modernes. Trop modernes, d'après certains. Mais ça, c'était une autre histoire.

– Tout à fait! approuva le major. La clé du succès, au jeu des anneaux, c'est une combinaison de vitesse du bras et de vivacité de l'œil. Ce n'est pas du tout une question de force, uniquement d'habileté.

Tel un tireur d'élite, il visa soigneusement, penché vers l'avant, avant de lancer. L'anneau atterrit sur la tranche et roula comme un cerceau jusqu'à la demi-cloison qui ceinturait une partie de la promenade. Sans cet obstacle, il se serait retrouvé dans la mer.

– Beau lancer, fit Sophie d'un ton neutre.

Juliana prit un anneau et attendit son tour. Mais le major Mountjoy ne bougeait pas, figé dans son élan.

– Vous allez bien, major? demanda la jeune fille avec sollicitude.

– On dirait que ma vieille blessure vient de se réveiller, répondit-il d'une voix altérée. Ça remonte à la guerre des Boers, pendant une charge de cavalerie dans les environs de Jo'burg. J'étais à la tête d'une brigade, à l'époque, voyez-vous...

Sophie n'en croyait pas ses oreilles. Même plié en deux par la douleur, le major Rouflaquettes ne pouvait pas s'empêcher de radoter! Tout au long du trajet vers l'hôpital de bord, sur le pont D, il poursuivit le récit de ses exploits en Afrique du Sud. Son corps avait beau être bloqué à angle droit, sa bouche, elle, était en grande forme.

– Ne pleurez pas sur mon sort, très chères, lança-t-il tandis qu'elles se hâtaient de prendre congé. Je serai sur pied en un rien de temps. J'ai des problèmes de dos depuis cette charge de cavalerie dans la région de Jo'burg...

Et il se mit à répéter son histoire, cette fois à l'intention du médecin du bord, le Dr O'Loughlin.

Une fois dans l'ascenseur, les deux jeunes filles pouffèrent.

– Sophie! gronda Juliana. Ce n'est pas poli de rire comme une hyène en public!

– Je ne ris pas, répliqua Sophie, au bord de l'hystérie. Je pleure sur le sort du major.

Ce fut au tour de Juliana d'éclater de rire. Le temps de se rendre à la cabine B-56, où logeait Juliana, les deux jeunes filles versaient en effet des larmes pour le major Rouflaquettes, mais des larmes d'hilarité!

– S'il a des problèmes de dos depuis cette charge de cavalerie, parvint à articuler Sophie, imagine un peu le dos du pauvre cheval qui le portait!

– Ça fait une éternité qu'il réclame l'honneur de nous enseigner l'art du lancer des anneaux, ajouta Juliana. Et puis, dès son premier lancer...

Elle s'interrompit soudainement, sourcils froncés. La suite était aussi bien aménagée qu'une chambre de manoir anglais, avec ses meubles élégants, ses murs tendus de soie, ses draperies de velours et son plafond à caissons. Tout était parfait dans les moindres détails, jusqu'à la frange du tapis persan posé sur le parquet du petit salon.

Alors, que faisait cette pile de couvertures, pêle-mêle, sur le lit à baldaquin de Juliana?

– Ce n'est pas le niveau de service auquel on pourrait s'attendre de la White Star Line, fit la jeune fille d'un air désapprobateur. Je vais appeler un steward de ce pas.

– Julie, intervint Sophie, pourquoi déranger un pauvre garçon à l'heure du thé? En deux fois moins de temps qu'il lui en faudra pour arriver, nous pouvons tout ranger, toi et moi.

Elle se pencha vers le tiroir encastré sous le lit et tira sur la poignée.

– Il est coincé, dit-elle en tirant un peu plus fort.

Sophie prit la poignée à deux mains et tira de toutes ses forces. Quand le tiroir s'ouvrit enfin, elle poussa un cri de stupeur. Paddy Burns était là, les genoux repliés sur sa poitrine dans cet espace réduit.

– Je peux vous expliquer... commença-t-il.

– Paddy, qu'est-ce que vous faites ici, en première classe? gronda Juliana.

Paddy se hérissa, et Sophie comprit tout de suite pourquoi. Non seulement le pauvre garçon était recherché par la White Star Line comme passager clandestin, mais il venait tout juste d'échapper à deux criminels sans pitié. Et comment réagissait Juliana en le voyant là, dissimulé dans un meuble? Elle lui demandait ce qu'il venait faire parmi les nobles et les autres membres de la haute société, sur les ponts supérieurs du *Titanic*.

– Eh bien, comme je passais par là, je me suis dit que je pourrais m'inviter pour une petite tasse de thé, répondit Paddy à Juliana avec son meilleur accent anglais... qui n'était pas anglais du tout!

– Elle veut dire : « Qu'est-ce que vous faites ici, dans sa cabine? » Et dans un tiroir, en plus! fit Sophie pour tenter de calmer les esprits.

En s'extirpant tant bien que mal de sa cachette, Paddy raconta aux deux jeunes filles sa visite à la prison et son évasion dans le chariot à linge.

– Quand j'ai pu sortir de là en toute sécurité, j'étais tout en haut, sur le pont B. J'ai reconnu votre cabine, alors j'ai pensé... dit-il, la tête baissée vers ses vieilles bottes cloutées qui détonnaient sur la luxueuse moquette. Eh bien, mademoiselle, vous avez eu la gentillesse de m'aider la dernière fois...

– Mais comment êtes-vous *entré*? insista Juliana. La cabine était verrouillée.

– Oh, ça! lança Paddy en sortant une petite épingle à cheveux de la poche de sa culotte. Je vous demande pardon, mais je ne vois pas ce qu'il y a de si terrible.

On entendit un déclic, et la porte de la cabine B-56 s'ouvrit toute grande.

– Julie? fit la voix du 17e comte de Glamford.

– Mon père! siffla Juliana, aux abois.

Avant que Paddy ait le temps de dire un mot, Sophie le repoussa dans sa cachette et ferma brusquement le tiroir.

– Bonjour, père, dit Juliana en s'avançant dans le couloir, dans l'espoir que sa frêle silhouette dissimulerait ce qui se passait derrière elle. Comment a été votre partie de cartes?

– Excellente, répondit aussitôt le comte, même si son air déçu et ses yeux cernés racontaient une tout autre histoire.

La passion du comte pour le jeu n'avait d'égal que son manque de talent pour la chose. Et les circonstances étaient particulièrement dangereuses, pendant cette longue traversée de l'océan. Il y avait ici de nombreux passagers fortunés qui n'avaient vraiment pas grand-chose d'autre à faire que jouer.

Le comte regarda par-dessus l'épaule de sa fille et aperçut Sophie au milieu de la chambre.

– Mademoiselle Bronson, la salua-t-il d'un bref signe de tête.

– Votre Seigneurie, répondit Sophie en lui rendant son salut.

Oh, oh! Il semblait avoir la bouche pâteuse. Julie lui avait confié que son père buvait lorsqu'il perdait aux cartes. Ou plus probablement, qu'il perdait aux cartes parce qu'il buvait. Il y avait une grande tache brunâtre sur sa chemise. De l'alcool. Sophie en était sûre.

Les yeux brouillés du comte passèrent de la jeune fille aux draps empilés sur le lit.

– Qu'est-ce que c'est que ça? Dois-je comprendre que c'est la femme de chambre qui a laissé ça là? Appelez le steward immédiatement! Si je voyage en première classe, c'est pour avoir un service de première classe.

– Mais non, père! protesta Juliana en s'efforçant de sourire. Ça ne me prendra qu'une minute pour remettre de l'ordre.

– Tu oublies ta position, jeune fille, répondit le comte d'un ton sévère. *Tu* n'es pas une femme de chambre. Tu es la fille d'un pair du royaume, et tu ferais mieux de t'en souvenir.

Juliana baissa les yeux.

– Est-ce que je peux faire quelque chose pour vous, père? Vous ne quittez généralement pas le salon si tôt.

– Je suis venu me changer. J'ai répandu... du thé sur le devant de ma chemise. Walmsley va venir m'aider dans un instant.

Les deux jeunes filles échangèrent un regard inquiet. Si le valet, Walmsley, n'arrivait pas bientôt, Paddy allait suffoquer dans son tiroir!

– Tu n'es plus une petite fille, Julie, ajouta le comte. Tu penses que je n'ai pas remarqué que tu fraternisais avec ce jeune Alfie?

– C'est notre steward! protesta Juliana, outrée.

– Je suis enchanté que tu t'en rendes compte. Tu fais partie d'une famille dont l'histoire remonte à plusieurs siècles. Ce genre de relation est indigne de ton rang.

Juliana, piquée au vif, osa répliquer.

– Je suis impressionnée que vous voyiez tant de choses depuis le salon, assis à votre table de jeu.

Sophie était surprise d'entendre son amie aux bonnes mœurs riposter ainsi, au mépris de la tradition. Mais le père de Juliana fut encore plus étonné.

Juste au moment où le comte allait laisser exploser sa colère, Walmsley entra dans la cabine, les bras chargés de chemises fraîchement lavées. Le maître et le valet se retirèrent dans l'autre chambre et refermèrent la porte derrière eux.

En un clin d'œil, les deux amies ouvrirent le tiroir et aidèrent Paddy à sortir.

– Vite! chuchota Juliana. Vous devez partir avant que mon père ait fini de s'habiller!

– Eh bien, il se prend pour qui, votre père? répondit Paddy, les yeux écarquillés. Quand un père aime vraiment sa fille, ce n'est pas comme ça qu'il lui parle!

– Comment osez-vous? répliqua vertement Juliana. Il protège ma réputation, comme c'est son devoir de le faire.

– Alors, c'est ainsi que vous l'excusez? demanda-t-il avec cynisme. Je ne suis peut-être pas né dans un de vos manoirs, mais même les petits pauvres ont un nez. Et quand ça ne sent pas bon, je m'en rends compte, vous savez.

– Qu'est-ce que vous voulez insinuer? demanda Juliana, dont la voix avait monté d'un cran.

– Pour Sa Majesté votre père, un aide steward, c'est juste un objet utile, comme une canne ou un tabouret.

Tout ce blabla au sujet de votre réputation. Ce que je dis, mademoiselle, c'est qu'il y a quelque chose de pas net là-dedans.

– Je vous interdis de parler comme ça du comte de Glamford! siffla Juliana, furieuse. Vous devez lui témoigner le respect qui lui est dû!

– C'est ce que je fais, fit calmement Paddy.

– Voulez-vous bien cesser de vous disputer? intervint Sophie. Qu'est-ce qu'on va faire de Paddy? Il faut le faire sortir de la première classe!

– Je ne peux pas retourner à l'entrepont, souligna Paddy. L'équipage me recherche, en bas.

La voix du comte leur parvint de la chambre des maîtres.

– Une cravate propre, Walmsley. Avant que je rate encore une manche.

– Il faut trouver Alfie, décida Juliana. Lui, il saura quoi faire.

CHAPITRE TROIS

RMS *TITANIC*
Vendredi 12 avril 1912, 17 h 35

Il faisait tellement chaud, dans la salle des chaudières numéro cinq, qu'Alfie n'aurait pas été étonné de voir la laine de sa veste de steward prendre soudainement feu. Il fut pris de pitié en voyant son père manier sa pelle, la peau luisante de sueur et noire de poussière de charbon. Les « gueules noires » du *Titanic* vivaient et travaillaient bien en dessous de la ligne de flottaison, dans un royaume sous-marin de flammes et d'obscurité.

– Bonjour, mon garçon! dit John Huggins à son fils. Le capitaine Smith a ordonné ce matin d'allumer deux nouvelles chaudières.

– Je ne sais pas comment tu fais pour endurer ça, p'pa, soupira Alfie en passant un doigt sous son col un peu trop serré.

– À vrai dire, il y a des moments où je monte sur le pont pour respirer un peu et où je suis terriblement tenté de sauter à l'eau, juste pour me rafraîchir, répondit son père en souriant. Et puis, je me rappelle à quel point l'eau est froide dans cet océan, et je suis tout à fait content de retourner au chaud.

– Pourquoi est-ce qu'il faut plus de chaudières? s'enquit Alfie.

– Si tu veux que ton cheval coure plus vite, expliqua John Huggins en haussant les épaules, tu lui donnes un plus gros seau d'avoine. Si tu veux que ton bateau aille plus vite, tu lui donnes plus de charbon. Il dépasse déjà les 500 milles par jour, largement, je dirais. Je n'ai jamais travaillé sur un navire aussi rapide.

– Cinq cents milles par jour! fit Alfie, nerveux. Ce n'est pas dangereux?

– On est en plein milieu de l'Atlantique, répondit son père en riant. Les poissons s'en fichent, de la vitesse à laquelle on passe à côté d'eux. Il nous reste encore deux chaudières en réserve. Je suppose qu'on nous ordonnera de les allumer demain. Il est question qu'on arrive à New York d'ici mardi soir, une demi-journée en avance sur notre horaire. Ça serait bien, hein?

– Je suppose, acquiesça Alfie, perplexe. Mais quel est l'avantage d'arriver à New York au petit matin? Les passagers seront endormis, tout comme la ville dans laquelle ils accosteront.

– Les journaux, mon garçon, expliqua John Huggins. C'est la traversée inaugurale du plus grand navire de tous les temps! Quand les journaux seront distribués, mercredi matin, le nom du *Titanic* s'étalera partout en première page, en énormes caractères!

– John!

L'appel couvrit la clameur de la salle des chaudières. Un marin apparut à mi-hauteur de l'échelle menant aux ponts supérieurs.

– Ton garçon est là?

– Oui, je suis ici, fit Alfie en allant se placer au bas de l'échelle.

– Il y a une passagère qui te réclame.

– Mais j'ai fini mon quart de travail, protesta Alfie.

L'homme se mit à rire.

– Eh bien, on dirait que tu n'as pas fini. Mlle Glamm a besoin d'un chapeau dans la soute à bagages.

– Mlle Glamm? demanda Alfie, étonné. Un chapeau? Elle en a déjà plus que j'ai de cheveux sur la tête!

– Ou alors, tu peux décider de ne pas t'en occuper, et tu auras affaire à M. Lightoller. C'est toi qui choisis, déclara l'homme avant de s'éclipser.

– Tu ferais mieux d'y aller, fiston, fit doucement son père. Tu connais ces dames de première classe, avec leurs caprices et leurs fantaisies.

Alfie s'éloigna à regret. En se penchant pour passer dans l'ouverture qui séparait les salles des chaudières de la coursive des chauffeurs menant à la cale, à la proue du navire, il se rappela qu'il suffirait d'appuyer sur un bouton, sur la passerelle de navigation, pour qu'une porte étanche s'abaisse et que cette ouverture soit scellée. Il y avait quinze portes de ce genre, qui divisaient la coque du *Titanic* en compartiments séparés. C'était ce qui le rendait insubmersible. Dans l'éventualité peu probable où quelque chose percerait la double coque d'acier, l'inondation pourrait être entièrement contenue en un instant.

Dans le couloir, la température était beaucoup plus agréable. C'était au moins ça. Mais la perspective de passer le reste de son après-midi à monter et descendre l'escalier en colimaçon avec les boîtes à chapeaux de Juliana ne tentait pas tellement le jeune steward.

Alfie, fils de chauffeur, avait rencontré très peu de gens riches avant d'entreprendre cette traversée. Il n'en revenait pas de l'importance que pouvaient accorder à un changement de chapeau les capitaines d'industrie et les chefs du gouvernement dont dépendait le sort du monde. Ces géants étaient décidément obsédés par des futilités.

Il était tout de même étonné que Juliana réclame ainsi ses services en dehors de ses heures de travail. C'était une jeune fille de la haute société, bien sûr, mais elle le traitait généralement avec égards. Elle savait qu'Alfie appréciait beaucoup ses visites à son père, maintenant que sa mère les avait abandonnés.

Il s'arrêta net, soudain submergé par la tristesse. Sa mère lui manquait cruellement. Il n'était pas en colère contre elle, il comprenait même, jusqu'à un certain point, pourquoi elle avait fui sa petite vie sans histoire. C'était une rêveuse, le nez toujours fourré dans un roman à l'eau de rose. La preuve : elle avait appelé son fils unique Alphonse, du nom du héros de son roman français préféré. Être l'épouse de John Huggins, qui était plus souvent en mer qu'à la maison, avait dû lui paraître invivable.

Cesse de t'apitoyer sur ton sort! se sermonna Alfie. *Il y a bien des gens qui ont une existence beaucoup moins enviable que la tienne!*

Après tout, son plan avait fonctionné à merveille. Il avait menti au sujet de son âge et s'était fait embaucher par la White Star Line pour pouvoir naviguer avec son père. Et maintenant, ils étaient tous les deux à bord du *Titanic*, le plus somptueux navire au monde. Il avait de la chance!

Il ouvrit la porte de la soute à bagages et parcourut des yeux le vaste espace encombré de caisses, de malles et de valises retenues par des filets. Les gens de la haute société ne voyageaient pas léger! Pour certaines cabines de première classe, il y avait jusqu'à quarante pièces de bagages.

Au moins, il n'aurait pas à fouiller pour repérer les affaires de Juliana. Alfie avait passé beaucoup de temps dans la cale et il savait déjà où trouver les bagages des Glamm : pas très loin de l'escalier en colimaçon, dans le même secteur que l'impressionnante collection de malles et de boîtes appartenant aux Astor.

Il se raidit en entendant un bruit de pas derrière lui, tout près. Mais quand il se retourna, il ne vit personne.

Sourcils froncés, il se dirigea vers les boîtes à chapeaux de Juliana, dont la pile était plus haute que lui. Dans laquelle pouvait bien se trouver le chapeau qu'elle lui réclamait? Comment aurait-il pu le savoir, de toute manière?

Un chat miaula quelque part derrière les bagages des Astor. Alfie savait qu'il y en avait au moins un à bord, dans les quartiers des hôtesses. Mais quand il jeta un coup d'œil derrière la pile, il ne vit aucune trace de l'animal.

Un profond malaise l'envahit. Il avait des raisons de croire qu'un criminel se trouvait parmi les passagers, un meurtrier notoire qui avait sévi bien des années auparavant. Cet homme était-il sur ses traces?

Il sentit soudain un souffle chaud sur sa nuque.

CHAPITRE QUATRE

RMS *TITANIC*
Vendredi 12 avril 1912, 17 h 55

Terrifié, Alfie se retourna brusquement. Il se retrouva nez à nez avec une personne tellement proche qu'il lui fallut un certain temps pour faire la mise au point et pour comprendre de qui il s'agissait.

– Paddy! souffla-t-il.

Le jeune clandestin était écroulé de rire.

– Tu aurais dû voir ta tête!

– Espèce de crétin! J'aurais pu te faire sérieusement mal!

Paddy, qui avait survécu un an dans les rues de Belfast, était loin d'être impressionné.

– Et comment t'aurais pu faire ça, dis-moi?

– Ne fais pas le malin! gronda Alfie. J'aurais pu hurler à pleins poumons et ameuter la moitié de l'équipage. Mais qu'est-ce que tu fabriques ici, de toute manière? Je pensais qu'on s'était mis d'accord pour que tu te caches à l'entrepont.

– Je ne peux plus y rester, répondit Paddy. Les

stewards de troisième classe savent compter, comme ceux de la première et de la deuxième classe. Il y en a un qui s'est rappelé avec combien de garçons Mme Rankin a embarqué. Et il se trouve qu'elle n'a pas très envie de se séparer d'un de ses propres fils. Alors, me voici. C'est une longue histoire, mais Mlle Bijoux-et-Parfum m'a envoyé t'attendre ici.

Paddy adressa un sourire moqueur à Alfie et ajouta :

– En passant, tu n'as pas besoin de farfouiller pour trouver la boîte à chapeaux.

– Qu'est-ce que je vais faire de toi, Paddy? soupira Alfie. Tu sais que tu n'es pas en sécurité dans la cale.

– Je ne suis en sécurité nulle part, fit Paddy en haussant les épaules. Ici ou ailleurs, c'est pareil. Mais ne t'inquiète pas. S'ils me trouvent, je ne révèlerai pas qui m'a aidé, et je ne parlerai ni de toi ni des filles.

– Mais il ne faut pas qu'ils t'arrêtent! s'exclama Alfie. Ils vont te mettre en prison avec ce monstre de Gilhooley!

– Peut-être pas, raisonna Paddy. Le capitaine sait que Gilhooley et son acolyte ont essayé de me tuer.

– Penses-tu que la White Star Line se préoccupe du sort d'un passager clandestin? M. Lightoller serait bien content de laisser ces bandits finir le travail qu'ils ont commencé!

– Alors, je ne me ferai pas prendre, c'est tout, affirma Paddy d'un air buté. Si les officiers s'approchent trop, je n'ai qu'à déguerpir. C'est ce que je faisais à Belfast. Je peux le faire ici aussi.

– Pas jour et nuit, répliqua Alfie en secouant la tête. Tout le monde a besoin de dormir. Même toi.

– Ouais, tu as raison, admit Paddy à contrecœur. Alors, où un fugitif désespéré pourrait-il bien poser sa tête quelques heures pour se refaire des forces en vue de la prochaine poursuite?

Il regarda autour de lui et son regard s'arrêta sur une énorme malle.

– Regarde-moi ça! Elle est presque aussi grande qu'une petite chambre à coucher.

– Quoi? protesta Alfie, horrifié. Cette malle appartient à John Jacob Astor!

– Eh bien, l'homme le plus riche du monde peut se permettre de m'en laisser l'usage pour quelques jours!

Paddy se glissa sous le filet et s'attaqua au cadenas de laiton avec l'épingle à cheveux dont il s'était servi pour pénétrer dans la cabine B-56. Il lui fallut à peu près sept secondes pour ouvrir le couvercle de la malle, dont il entreprit d'examiner le contenu.

Il y avait là une pile d'étoffes de soie et de brocarts des plus luxueux, des tissus que le célèbre milliardaire et son épouse avaient achetés en Europe et en Égypte afin d'en faire faire des vêtements à leur retour aux États-Unis.

– Ça me fera un lit confortable, décida Paddy. Maintenant, il me faut des trous d'aération.

– Paddy, dormir dans la malle d'un milliardaire, c'est une chose, mais y faire des trous, c'est une tout autre chose.

– Des tout petits, promit Paddy. Près des charnières, à l'arrière, où personne ne les verra.

Il inséra l'épingle à cheveux dans une des charnières, décrivant un petit cercle pour créer un peu d'espace.

– Ça devrait aller. Il ne me reste plus qu'à enlever quelques trucs pour me faire une place, fit Paddy en prenant une brassée de tissus soyeux.

– Fais attention! gémit Alfie. Ça coûte probablement plus cher que ce que toi et moi, on pourrait gagner en toute une vie.

– Penses-tu que j'oserais priver un milliardaire de ses belles guenilles? Je les plie bien soigneusement, tu vois. Et je les mets ici, dans un autre de ses sacs.

Paddy brandit un grand sac de cuir. Mais le sac, abîmé, s'ouvrit aussitôt en laissant échapper des livres, des vêtements et une épaisse feuille de papier jauni, apparemment déchirée d'un cahier.

Le papier de l'album de découpures.

Alfie se jeta par terre et se glissa sous le filet pour rejoindre Paddy à côté des bagages des Astor. Les deux garçons examinèrent brièvement la feuille de papier, puis échangèrent un regard abasourdi.

Ils avaient déjà vu ce papier ici même, dans ce compartiment à bagages : dans l'album qu'ils avaient trouvé par terre. Les pages décrivaient d'horribles crimes commis 24 ans auparavant, les crimes de Whitechapel. Le meurtrier, surnommé Jack l'Éventreur, n'avait jamais été pris, ni même identifié.

L'album contenait des articles de journaux anciens et des notes qui n'avaient pu être écrites que par une seule personne : Jack l'Éventreur lui-même. Pire encore, il y avait aussi des « souvenirs » des victimes : un bout de tissu taché de sang, des boucles d'oreilles, même des dents humaines et de la peau.

Sur cette feuille de papier, quelques maillons d'un bracelet bon marché étaient encore collés au-dessus d'une note écrite à la main.

Approchée par l'arrière, frappée rapidement.

L'écriture correspondait parfaitement à celle qu'ils avaient vue dans l'album.

– Mais... fit Paddy, interdit. Ce sont les bagages des *Astor*!

– Non, je ne pense pas, répliqua Alfie, les yeux agrandis par l'épouvante. Regarde, tous les bagages des Astor sont identiques, sauf ce sac. Peut-être que les porteurs l'ont abîmé et qu'ils l'ont caché là pour éviter d'avoir des ennuis?

Il examina l'étiquette : le sac de cuir appartenait à l'occupant de la cabine A-17.

– Alors, tu veux dire que la personne qui voyage dans la cabine A-17, c'est Jack l'Éventreur?

– Je dois accompagner mes passagers à la salle à manger pour le dîner. Mais ne t'inquiète pas. Je vais le trouver, fit Alfie, l'air résolu.

CHAPITRE CINQ

RMS *TITANIC*
Vendredi 12 avril 1912, 20 h 45

La salle à manger de première classe du *Titanic* était la pièce la plus vaste et la plus luxueuse jamais aménagée sur un navire. Plus de cinq cents personnes pouvaient y prendre place dans un somptueux décor de style jacobin, illuminé à l'électricité.

Pour la première fois, tous les convives de la table 22 était présents : Juliana était accompagnée de son père, le comte de Glamford, et Sophie de sa mère, la célèbre suffragette Amelia Bronson.

Le major Mountjoy était là aussi. Grâce aux talents du médecin de bord, il n'était plus plié à angle droit, mais seulement à 135 degrés, ce qui était bien moins inconfortable! Il était installé à table comme un potentat oriental, soutenu par une multitude de coussins. Et, comme d'habitude, il faisait à peu près toute la conversation à lui seul.

– Juste ciel! Je suis terriblement désolé de ne pas avoir pu terminer ma leçon à ces deux jeunes dames.

Le comte cessa de contempler sa main où il n'y avait, hélas, pas de cartes et leva vers lui des yeux mélancoliques, injectés de sang.

– De quoi parlez-vous? De quelle leçon s'agit-il?

– Père, expliqua patiemment Juliana, le major a eu la gentillesse de vouloir nous apprendre les rudiments du jeu des anneaux. C'est comme ça qu'il s'est blessé au dos.

Amelia Bronson prit la parole sur ce ton sévère et impérieux qui lui était habituel :

– Dites-moi, major, est-ce parce que vous êtes un homme que vous êtes instantanément qualifié pour donner des leçons sur une activité parfaitement futile que n'importe quel babouin à moitié intelligent serait capable de maîtriser?

– Mère... commença Sophie, agacée.

Le militantisme et les discours enflammés de sa mère lui avaient souvent valu d'être arrêtée et même emprisonnée. Mais les moments comme ceux-ci étaient ceux que Sophie appréhendait le plus. La salle à manger était tellement belle. C'était un endroit pour faire la fête et s'amuser. Pourquoi sa mère ne pouvait-elle pas profiter tout simplement du merveilleux repas qui leur était servi, plutôt que de chercher, comme toujours, à marquer des points pour la cause des femmes? Le major Rouflaquettes avait beau être aussi ennuyeux que volumineux, il était gentil. Il ne méritait pas d'être ainsi harponné par une femme dont la langue était aussi acérée qu'une lame de sabre bien aiguisée.

Les choix vestimentaires d'Amelia Bronson étaient au moins aussi gênants que ses éclats de voix. Elle portait uniquement du violet, du blanc et du vert, les couleurs du mouvement des suffragettes. Elle se trouvait ici parmi les gens les plus riches et les plus célèbres du monde, et elle donnait l'impression d'être enroulée dans le drapeau d'une république bananière exotique.

Heureusement, le major Rouflaquettes ne s'offusqua pas des propos sévères de sa compagne de table.

– Touché, madame Bronson. Droit au but, en fait! s'exclama-t-il. Je suis moi-même un ardent défenseur du droit de vote pour les femmes. Cela embellirait très certainement nos bureaux de scrutin. Ce sont des endroits tellement ternes et ennuyeux!

Amelia Bronson ne répondit pas, mais ses yeux étincelaient de fureur. Il était presque aussi insultant d'être considérée comme une simple décoration que d'être privée du droit de voter.

Impatiente de changer de sujet, Sophie jeta un regard plein d'espoir à un serveur qui passait. L'élégance et la beauté de la pièce n'avaient d'égal que l'énorme quantité de nourriture délicieuse qui y était servie. Le souper de la première classe s'étirait sur 12 ou 13 services, et se terminait toujours par un dessert du célèbre pâtissier Henri Jaillet. (La veille au soir, ils avaient eu droit à des napoléons à la mousse au chocolat, de véritables œuvres d'art!) Les convives étaient des privilégiés, habitués à ce qu'il y avait de mieux en toutes choses. Et ici, ils l'avaient.

Lorsque l'éclairage baissa dans la salle à manger, on entendit un bourdonnement d'excitation dans cette grande pièce. Bien sûr, tous les convives étaient déjà plus que rassasiés. Mais l'arrivée imminente d'un nouveau dessert délectable suffisait à réveiller leur l'appétit.

Une armée de serveurs sortit de la cuisine, portant d'immenses plateaux de cerises flambées. Il y eut des « oh! » et des « ah! », et même quelques applaudissements. Le brandy en flammes jetait une lueur bleuâtre sur les murs blancs de la vaste pièce et sur les chemises amidonnées des messieurs.

Soudain, un plateau glissa, et un dessert en flammes se déversa sur la table 23. La nappe de tissu fin prit feu presque instantanément. Les flammes s'élevèrent aussitôt vers le plafond au milieu des hurlements. Dans la ruée générale pour évacuer les tables voisines, le comte saisit la main de Juliana pour mettre au plus vite sa fille en lieu sûr.

Sophie tendit la main pour prendre le bras de sa mère et se rendit compte qu'Amelia Bronson n'était plus à ses côtés.

– Mère?

– *Laissez passer*! ordonna une femme d'une voix stridente.

Mme Bronson fonçait dans le chaos pour se rapprocher de l'incendie, la jupe retroussée, les bras chargés d'un lourd extincteur. En deux bonds impressionnants, elle monta d'abord sur une chaise, puis sur la table elle-même.

Puis, au prix d'un effort herculéen, elle souleva l'extincteur et appuya sur la gâchette.

L'explosion de mousse chimique fut soudaine et violente, mais Mme Bronson poursuivit sans faillir. En quelques secondes, une montagne de mousse couvrit la nappe, et les flammes furent éteintes.

Brandissant toujours le réservoir de métal, elle resta debout sur la table, les cheveux défaits et mouillés, sa robe du soir violette, blanche et verte trempée de mousse.

Un silence complet tomba sur la salle à manger. Même les musiciens avaient posé leurs instruments et regardaient la scène, les yeux agrandis de surprise.

Le capitaine E. J. Smith, resplendissant dans son grand uniforme blanc, s'approcha du gâchis.

– Magnifique, madame! Tout le navire a une immense dette envers vous.

Sophie ne savait que trop bien ce qui allait suivre. L'excitation générale retomberait bientôt, et Amelia Bronson se rendrait vite compte qu'elle se trouvait, en quelque sorte, dans une position qu'elle connaissait très bien : debout sur une plateforme surélevée, entourée d'un auditoire. Elle ne laisserait pas passer cette occasion de dire ce qu'elle pensait devant certains des gens les plus influents des deux continents.

– Regardez un peu nos hommes! commença-t-elle sur un ton de défi. Où sont nos maris et nos pères, sur qui nous comptons pour diriger le monde? Cachés dans des coins! Étendus sur le pont! À se diriger discrètement vers les sorties! Et me voici devant vous, moi, une femme, moi qui fais partie de la moitié de la population à qui on ne fait pas confiance pour prendre les décisions qui touchent nos vies. Je vous signale que si je n'avais pas pris *cette* décision, la décision d'agir, cette magnifique salle à manger ne serait sans doute plus qu'un champ de ruines fumantes! *Le droit de vote pour les femmes*! conclut-elle d'une voix sonore, essayant de rallier les convives.

Ses paroles n'eurent aucun écho.

– Bien dit, fit le capitaine Smith avec beaucoup moins de chaleur et d'enthousiasme qu'un peu plus tôt.

Il tendit le bras à Amelia Bronson, mais elle fit un point d'honneur de redescendre sans son aide.

– *Le droit de vote pour les femmes*, marmonna-t-elle en jetant un regard féroce aux dames qui l'entouraient. Même pour celles qui n'aident pas la cause.

Sophie dut se retourner pour ne pas laisser voir son humiliation.

Le comte lui tapota la main avec sympathie.

– Ma pauvre petite, on ne choisit pas ses parents.

– Mme Bronson n'a peut-être pas entièrement tort, souligna Juliana, pensive. Elle est la seule qui a eu la présence d'esprit de faire quelque chose, pendant que les hommes...

Ses yeux tombèrent sur un passager aux cheveux blancs, étendu par terre à côté de sa chaise renversée. Il tendait le bras vers une béquille, tombée hors de sa portée.

– Capitaine! s'écria-t-elle. Cet homme a besoin d'aide!

Le capitaine Smith et un des serveurs aidèrent l'homme à se relever et à replacer sa béquille sous son bras. Le capitaine fit signe aux stewards, et Alfie s'avança.

– Raccompagnez M. Masterson jusqu'à sa cabine, et veillez à ce qu'il soit bien installé.

– Oui, monsieur, fit Alfie en se plaçant à côté du bras valide de M. Masterson pour lui offrir son soutien. Doucement, monsieur. Nous allons prendre l'ascenseur, et vous serez bientôt confortablement installé chez vous.

– Ce sont mes jambes qui sont paralysées, mon garçon, pas ma tête, fit Masterson en le fusillant du regard. Je ne suis pas un enfant.

Le temps que le vieil homme et le jeune garçon sortent lentement de la salle à manger, la table abîmée avait été remplacée par une nouvelle, couverte d'une nappe immaculée. Les serveurs apportaient les cerises flambées, les flammes en moins. L'orchestre avait recommencé à jouer sa musique d'ambiance. Et les couverts tintaient de nouveau sur la porcelaine fine.

Dans le couloir, M. Masterson se tourna vers Alfie.

– Tu peux laisser faire, jeune homme, lança-t-il, impatient. Je me débrouille très bien tout seul.

– Ça ne me dérange pas du tout, monsieur, répondit Alfie avec un sourire. C'est un plaisir de vous aider.

– Bon, du moment que ça *te* fait plaisir à toi, grogna le vieil homme. Est-ce que quelqu'un m'a demandé ce qui *me* ferait plaisir?

– Allons, monsieur, tenta Alfie, conciliant. C'est le capitaine Smith lui-même qui m'en a donné l'ordre.

M. Masterson n'était pas impressionné.

– Ce perroquet empaillé?

– Monsieur! s'exclama Alfie. Le capitaine Smith est le commodore de la White Star Line, le capitaine de navire le plus expérimenté du monde entier!

L'homme aux cheveux blancs, appuyé sur sa béquille, jeta un regard critique à Alfie.

– Depuis combien de temps navigues-tu? Dix secondes?

Alfie se sentit rougir. Son manque d'expérience était-il si visible?

– C'est ma première traversée, admit-il.

– Je ne m'en serais jamais douté, répliqua d'un ton sarcastique M. Masterson.

Puis il aboya en direction du garçon d'ascenseur :

– Pont A!

– Le dîner a-t-il été agréable, monsieur? demanda poliment le jeune homme.

– Oh, splendide! J'ai failli passer au feu, et ensuite, une espèce d'Amazone enragée nous a fait un discours sur le vote des femmes. Comme si *la chose* était possible! Grand Dieu, protégez-nous!

Une fois sur le pont A, M. Masterson se mit à manœuvrer sa béquille avec une telle rapidité qu'Alfie dut courir pour le rattraper.

Après quelques difficultés avec sa clé, le vieil homme

pénétra enfin dans sa cabine.

– Voulez-vous que j'entre avec vous, monsieur? offrit Alfie. Je pourrais vous aider...

Bang! La porte se referma si brusquement qu'Alfie faillit s'y cogner le nez.

Le garçon s'efforça d'avoir une pensée charitable pour le pauvre infirme. Mais il ne réussit qu'à se dire qu'il fallait vraiment être un odieux personnage pour traiter un serviteur de cette façon.

Au même moment, ses yeux se posèrent sur la plaque de laiton indiquant le numéro de la cabine.

A-17.

Il eut une brève vision d'une étiquette de bagage et d'une sinistre feuille de papier jauni.

M. Masterson était Jack l'Éventreur.

CHAPITRE SIX

RMS *TITANIC*
Samedi 13 avril 1912, 7 h 05

Dormir dans la malle des Astor, c'était un peu comme être enterré vivant dans un cercueil. Paddy n'avait pas du tout apprécié l'expérience.

En fait, c'était plutôt confortable. Et il ne serait certainement plus jamais enveloppé dans des tissus aussi luxueux. Mais, ainsi enfermé dans une boîte, il n'avait pas pu s'empêcher de penser à la mort, et donc à Daniel.

S'il s'était installé dans cette malle, c'était pour pouvoir dormir en sécurité. Mais il n'avait quasiment pas fermé l'œil de la nuit. Il avait passé son temps à se tourner et à se retourner, sommeillant à peine quelques minutes à la fois. Quand il avait enfin réussi à s'endormir, il s'était réveillé tout de suite après en sursaut en cherchant de l'air, étouffé par l'odeur douceâtre des sachets parfumés éparpillés parmi les étoffes.

Lorsqu'Alfie ouvrit le couvercle de la malle, au matin, Paddy se sentait plus fatigué que quand il s'était couché la veille au soir.

– Je t'ai apporté à manger, annonça le jeune steward en tirant deux scones bien frais des poches de sa veste. Désolé, mais je n'ai pas pu prendre de thé.

– C'est parfait comme ça!

Paddy mangea avec appétit. Une des choses que sa vie à Belfast lui avait apprises, c'est qu'on ne dit jamais non à de la nourriture, même si on est trop épuisé pour avoir faim.

– Je l'ai trouvé! lança Alfie, tout excité.

– Trouvé qui? demanda Paddy, les yeux écarquillés. Pas Jack l'Éventreur?

– Il s'appelle Robert Masterson, expliqua Alfie, le souffle court, et il loge dans la cabine A-17. J'ai vérifié le registre des passagers. Il n'a pas de femme, pas de valet. Il est tout seul dans sa cabine. Donc, l'album de découpures ne peut appartenir à personne d'autre qu'à lui.

– Et tu es certain de ne pas te tromper? demanda Paddy, pensif, tout en mastiquant son scone.

– Masterson a les jambes paralysées. Ça explique pourquoi les meurtres de Whitechapel se sont arrêtés soudainement. Comme il pouvait à peine marcher, il n'était plus capable de poursuivre ses victimes dans les rues sombres. Pas étonnant que Jack l'Éventreur ne se soit jamais fait prendre. Comment la police aurait-elle pu soupçonner un infirme?

– Tu ferais mieux d'être *vraiment* sûr, dit lentement Paddy. C'est un monsieur bien mis de première classe, n'oublie pas. Et toi? Tu n'es personne. Si tu l'accuses à tort, tu ne pourras plus jamais travailler sur un autre bateau. Tu seras peut-être même mis aux arrêts!

Alfie sentit fondre son assurance.

– Je sais que j'ai raison. Mais aller expliquer tout ça au capitaine...

– C'est peut-être juste trop tôt, suggéra Paddy. On a encore quatre jours avant d'arriver en Amérique. Reste près de lui. Essaie de devenir son ami. Tu trouveras peut-être une preuve plus solide.

– Tu n'as pas idée de ce que tu suggères, gémit Alfie. C'est un homme horrible, méchant et insupportable!

– Tu t'attendais à ce qu'il soit gentil et agréable? répliqua vivement Paddy. C'est Jack l'Éventreur!

– De toute manière, même si j'arrivais à tolérer sa compagnie, il me déteste. Je l'ai juste accompagné à sa cabine sur l'ordre du capitaine, et il n'a pas arrêté de m'insulter. Il n'acceptera pas mon amitié. Il va me renvoyer.

– Tu es un steward, et lui, un passager, fit remarquer Paddy en haussant les épaules. C'est ton travail de t'occuper de lui. Tu trouveras bien un moyen.

☆

De retour à la cabine A-17, Alfie tomba sur l'aide-steward Jules Tryhorn, en train de ramasser la vaisselle du petit déjeuner.

– M. Masterson est au gymnase, annonça le jeune Tryhorn. Il prend toujours son petit déjeuner dans sa cabine, et ensuite, je l'accompagne jusqu'au pont des embarcations pour sa séance d'exercice.

– Il peut faire de l'exercice, dans son état? demanda Alfie, étonné.

– Est-ce que j'ai l'air d'un médecin? soupira Tryhorn. Je le laisse là à 9 heures, je le reprends à 10 heures. C'est tout ce que je sais.

– Ça te dérangerait si j'allais le chercher ce matin?

– Tu ferais ça? demanda le jeune steward, dont la reconnaissance était assez pathétique à voir. Il n'a pas l'air de m'aimer du tout.

– Il ne m'aime pas beaucoup non plus, avoua Alfie. Mais je peux bien m'occuper de lui quelque temps.

Le gymnase était situé sur le pont des embarcations, à tribord. Comme beaucoup d'installations du *Titanic*, cette salle d'exercice était la plus vaste et la plus moderne jamais aménagée sur un navire. Le parquet de bois ciré luisait sous la lumière qui entrait par huit fenêtres immenses. La vue sur l'océan était spectaculaire, mais les quelques passagers qui se trouvaient là semblaient plus intéressés à faire de l'exercice qu'à regarder le paysage. Alfie aperçut la jeune Juliana Astor, à peine plus âgée que lui. Elle était juchée sur le chameau électrique, sa longue jupe couvrant presque entièrement l'appareil.

Elle n'aurait pas l'air aussi insouciante si elle savait qu'un passager clandestin dort dans ses beaux tissus, pensa-t-il, sans savoir si l'idée lui donnait envie de rire ou de pleurer.

Ses yeux tombèrent ensuite sur M. Masterson. Il

s'exerçait aux barres parallèles, soulevant et abaissant son corps avec une puissance étonnante et une parfaite maîtrise de ses mouvements. Ses jambes étaient peut-être en caoutchouc, mais le haut de son corps était agile et musclé. Sa béquille, inutile en ce lieu, était appuyée à la cloison lambrissée de bois, sous une mappemonde encadrée.

L'instructeur s'approcha d'Alfie.

– Surprenant, hein? dit-il. Ailleurs, il arrive à peine à se déplacer tout seul, mais ici... C'est beau à voir!

Alfie était bien de cet avis, mais il savait, lui, que la réalité était plus sombre. Il lui était soudain facile d'imaginer M. Masterson en train d'empoigner et d'assassiner des jeunes femmes en pleine forme et en bonne santé. Quand on faisait abstraction de ses jambes branlantes, cet homme paraissait tout à fait capable de commettre les terribles crimes attribués à Jack l'Éventreur 24 ans auparavant.

– Il est vraiment... fit le jeune steward, hésitant. Il est vraiment *en forme* pour un homme dans son état.

– On dit que quand quelqu'un perd l'usage d'une partie de son corps, les autres parties se renforcent pour compenser, acquiesça l'instructeur. En fait, j'ai déjà vu des hommes forts qui n'avaient pas des bras comme les siens.

Mais, quand M. Masterson descendit des barres, la transformation fut complète et immédiate. Dès que ses pieds touchèrent le sol, ses épaules se voûtèrent, et son corps tout entier sembla se replier sur lui-même.

L'instructeur se précipita pour lui prendre le bras, mais Masterson le repoussa sans ménagement.

– Si je veux quelque chose, je vous le demanderai!

Et, d'un pas hésitant, il boita jusqu'à sa béquille.

Il posa sur Alfie un regard sinistre.

– Qu'est-ce que *tu* fais ici?

– Bonjour, monsieur, le salua Alfie. C'est moi qui vous ramènerai à votre cabine.

– Où est Tryhorn? aboya Masterson.

– C'est moi qui ai l'honneur de vous servir aujourd'hui, répondit Alfie en faisant un grand effort pour rester poli.

– Bon, soupira le vieil homme. Un jeune blanc-bec en vaut un autre, je suppose. Allons-y.

Appuyé lourdement sur sa béquille, il se dirigea à grand bruit vers la porte.

Alfie se hâta pour soutenir son bras libre, et ils sortirent tous les deux sur le pont des embarcations, dans l'air froid et sous le soleil brillant.

– Aimeriez-vous aller quelque part en particulier ce matin, monsieur? demanda Alfie.

– En Amérique, répondit simplement Masterson. Et le plus tôt sera le mieux.

– Dans ce cas, dit Alfie en se forçant à sourire, j'ai de bonnes nouvelles pour vous. Le capitaine a fait allumer presque toutes les chaudières, et le *Titanic* file à bonne vitesse. Nous devrions être à New York mardi soir, plutôt que mercredi matin.

– Excellent, approuva le vieil homme. Quand j'aurai mis le pied en Amérique, je serai enfin débarrassé de tes efforts futiles pour me faire la conversation.

Alfie baissa les yeux, contenant sa colère. Il aperçut autour du cou du vieil homme un pendentif qu'il n'avait pas remarqué auparavant : une minuscule église d'un blanc jaunâtre, accrochée à un cordon de cuir.

– C'est un joli pendentif, monsieur, osa prudemment Alfie. Puis-je vous demander si c'est de l'ivoire?

– Petit sot! répliqua Masterson en dissimulant rapidement le collier sous son cardigan. Tu ne sais pas reconnaître l'ivoire quand tu en vois?

– Mon père est marin, expliqua doucement Alfie. Il nous a souvent rapporté des objets sculptés en ivoire. Ils étaient plus pâles, de la couleur du lait frais...

– Et le petit emploi pathétique que tu occupes sur ce navire fait de toi un expert en la matière, je suppose? railla Masterson.

Sophie les salua de la main, assise dans une chaise longue.

– Bonjour, Alfie!

Enveloppée dans plusieurs couvertures, elle avait l'air d'une momie, une tasse de chocolat chaud posée en équilibre sur toutes ses pelures.

Comme Alfie levait le bras pour lui rendre son salut, Masterson lui saisit le poignet avec une force étonnante.

– Je ne t'ai pas demandé de me servir, mais quand tu le fais, je te défends de saluer cette petite Américaine écervelée!

– Mlle Bronson? Mais c'est une jeune dame très gentille!

– Tu oses dire ça de la fille de cette insupportable suffragette?

Alfie n'en revenait pas.

– Je comprends que tout le monde ne soit pas favorable au vote des femmes, mais...

– C'est de la haute trahison, contraire à toutes les lois de Dieu et de la nature! rétorqua Masterson, ulcéré. À une certaine époque, les hommes prenaient les choses en main pour défendre l'ordre naturel des choses, mais plus maintenant. Nous nous contentons d'un rôle de spectateurs pendant que des femmes sans scrupules cherchent à s'emparer de l'essence même de ce qui fait *notre* monde!

– Monsieur, lui rappela Alfie, vous parlez de nos mères, de nos épouses et de nos sœurs.

– Et dis-moi, comment les liens de parenté y changent-ils quoi que ce soit? Où est-elle, la sainte mère qui te permet de vendre ton enfance à la White Star Line?

Jusqu'alors, Alfie avait réussi à garder son calme. Il avait toléré les manières irascibles de Masterson et enduré son mépris, comme il se devait de le faire en tant que steward. Mais en l'entendant parler ainsi de Sarah Huggins, il sentit monter en lui une immense colère : le vieil homme avait touché en lui un point sensible dont il ne soupçonnait même pas l'existence.

– Vous pouvez m'insulter tant que vous voudrez, monsieur, s'écria Alfie, mais je vous prie de garder vos opinions pour vous en ce qui concerne ma mère! Vous ne l'avez jamais rencontrée! Et j'espère bien que vous ne la rencontrerez jamais!

Tout en dégringolant l'escalier à toute vitesse, Alfie se sentit soudain écrasé par la culpabilité. Que venait-il de faire là? Il avait été impoli envers un passager de première classe. Pire encore, il avait abandonné un infirme sur le pont supérieur du navire.

Je vais me faire renvoyer... et ce sera bien fait pour moi!

Il avait gaspillé sa chance de naviguer avec P'pa, son seul parent. Et pourquoi? Pour dire son fait à M. Masterson? Mais cet homme avait commis des meurtres horribles! Ce qu'il méritait, ce n'étaient pas de simples remontrances, c'était la potence!

Maintenant, le capitaine Smith ne le croirait jamais s'il accusait M. Masterson d'être Jack l'Éventreur. Il penserait qu'Alfie tentait de se venger du passager qui lui avait fait perdre son emploi.

À cause de ma propre stupidité, un monstrueux assassin va continuer de se promener en liberté.

Personne n'aurait trouvé la chose plus tragique que Sarah Huggins elle-même. Plus de 20 ans après les meurtres de Whitechapel, elle restait obsédée par les événements. Alfie devait avoir cinq ou six ans à l'époque, mais il se rappellerait toujours ce qu'elle lui avait dit : « Je ne dormirai pas bien dans mon lit le soir tant que ce monstre se promènera dans les rues. »

Il s'arrêta net, les yeux agrandis de stupeur au souvenir du pendentif de M. Masterson. C'était la réplique minuscule d'une église. Une chapelle blanche : Whitechapel!

La vraie raison de la coloration plus sombre de cet objet en « ivoire » lui apparut soudain clairement. Ce n'était pas de l'ivoire du tout! C'était un autre souvenir horrible de la folie meurtrière de Jack l'Éventreur.

Le pendentif avait été sculpté dans un os humain.

CHAPITRE SEPT

RMS *TITANIC*
SAMEDI 13 AVRIL 1912, 14 H 35

La combinaison de travail était beaucoup trop grande pour Paddy; on aurait dit un enfant portant un vêtement de son père. Mais en descendant l'échelle qui menait aux salles des chaudières, il se rendit compte qu'il y avait de fortes chances pour que personne ne le remarque. La lueur rougeâtre que jetaient les 27 chaudières allumées éclipsait le faible éclairage des lampes électriques. Ceux qui étaient capables de garder les yeux ouverts, malgré l'irritation provoquée par les nuages de poussière et de vapeur, étaient probablement trop abasourdis par l'énorme grondement ambiant pour s'intéresser aux gens qu'ils voyaient dans cet enfer.

Paddy s'immobilisa au bas de l'échelle, le souffle court, au bord de la suffocation. Il avait l'impression d'essayer de respirer des cendres volcaniques brûlantes. Comment faisaient-ils, ces « gueules noires »? Ils devaient avoir des poumons d'acier.

Paddy avait exploré le *Titanic* de fond en comble

depuis son embarquement clandestin, mais c'était la première fois qu'il pénétrait dans les salles des chaudières. Même à Belfast, où il n'y avait qu'un équipage minimal à bord, ce secteur avait toujours été une ruche bourdonnante d'activité. La vapeur alimentait non seulement les énormes moteurs alternatifs du navire, mais aussi les gigantesques dynamos qui produisaient de l'électricité en abondance. Aucune ville au monde n'était aussi technologiquement avancée que la perle de la White Star Line.

Paddy s'assit avec son seau d'eau et plongea les deux mains dans une boîte à charbon pour se barbouiller le visage et le cou avec de la suie. Il passerait plus facilement inaperçu. Ici, si quelqu'un avait la peau blanche, il était évident qu'il n'était pas à sa place.

En apercevant le seau d'eau, un des chauffeurs posa sa pelle et s'approcha. Paddy lui tendit la louche, et l'homme but avec avidité.

– Merci, mon gars, dit-il d'une voix grave, éraillée par des années de dur travail dans le ventre de nombreux navires.

Paddy marmonna quelque chose et s'éloigna. Il était risqué de se mêler aux employés de la White Star. Mais seuls les morts pouvaient rester étendus jour et nuit dans une boîte fermée. Il y avait des besoins personnels qu'on ne pouvait pas éliminer simplement en appuyant sur un interrupteur : manger, boire et aller aux cabinets d'aisance. Sans compter le besoin le plus urgent de tous :

faire *quelque chose*, n'importe quoi, pour ne pas devenir fou.

Maintenant que l'équipage ratissait les secteurs réservés aux passagers à la recherche d'un clandestin, les salles des chaudières, bien en dessous de la ligne de flottaison, dans les entrailles du *Titanic*, offraient à Paddy une cachette idéale.

D'autres chauffeurs s'approchèrent, et la louche passa de bouche en bouche. Ils étaient solides, ces gaillards, même selon les critères de Belfast. Ils faisaient un travail épuisant, à pelleter des quantités de charbon qui semblaient infinies pour nourrir un navire aussi insatiable qu'insubmersible. C'était presque pathétique de voir ces hommes, ces « gueules noires », aussi heureux d'avoir une gorgée d'eau et un petit répit dans leur journée de dur labeur.

En regardant tour à tour ses clients couverts de poussière de charbon, Paddy eut la surprise de découvrir un visage qui lui parut familier. L'homme était plus vieux, ses yeux étaient enfoncés dans leurs orbites, et la suie de dizaines de salles de chaudières avait dessiné des lignes indélébiles dans les plis de sa peau. Mais ses traits étaient ceux d'Alfie.

– Vous êtes le père d'Alfie! s'écria Paddy sans réfléchir.

En entendant le nom de son fils, John Huggins s'adoucit instantanément.

– Tu connais mon gars?

– Il m'a sauvé la vie, pour sûr, répondit aussitôt Paddy.

C'était un fait. Sans Alfie, Paddy aurait été jeté par-dessus bord par Kevin Gilhooley et Seamus.

La fierté de John Huggins transparaissait même à travers les couches de suie incrustée.

– Raconte-moi ça!

Paddy hésita, soudain inquiet. Plus il en disait, plus il risquait de se faire poser des questions. Un fugitif comme lui devait être invisible, et non attirer l'attention.

Il souleva son seau et frappa sur le côté avec la louche.

– De l'eau! claironna-t-il. Qui veut de l'eau?

D'autres chauffeurs arrivèrent, et Paddy réussit à se fondre dans le groupe. Sa distribution terminée, il se faufila vers l'arrière, sortit par une des ouvertures dans lesquelles s'encastraient les portes étanches du *Titanic* et finit par trouver une échelle qui montait vers l'extérieur.

Il s'adossa à la cloison et se laissa glisser par terre, sans lâcher son seau. Quel soulagement d'être sorti de cet enfer brûlant! Malgré cette opulence, respirer était encore le plus grand luxe.

Une voix bien connue lui parvint de l'autre bout du couloir.

– ... 519 milles? Vous en êtes sûr, Joseph?

Paddy se releva à la hâte, contrarié. Tout content d'avoir échappé à la chaleur étouffante des salles des chaudières, il avait négligé de s'assurer qu'il n'y avait pas de membres d'équipage dans les parages. Il aperçut l'architecte du *Titanic*, M. Thomas Andrews lui-même, en grande conversation avec un des mécaniciens.

– C'est le chiffre officiel, entre vendredi et samedi midi, disait le mécanicien. C'est un véritable cheval de course que vous nous avez fait là, monsieur.

– Ce qui nous donne une vitesse, murmura Thomas Andrews en faisant un rapide calcul mental, légèrement supérieure à 21 nœuds. Et il nous reste encore deux chaudières à allumer.

Ses yeux tombèrent soudain sur Paddy.

– Eh bien, bonjour!

– Désolé de vous déranger, m'sieur, répondit Paddy en baissant la tête.

Il recula d'un pas vers l'échelle qui descendait aux salles des chaudières.

– Ne t'inquiète pas, mon garçon, fit gentiment l'architecte. Je ne te dénoncerai pas pour avoir quitté ton travail quelques minutes. Je sais ce qu'est la chaleur des chaudières. Faire une petite pause pour rafraîchir sa peau brûlante, ça n'est pas un crime.

Thomas Andrews avait une personnalité tout à fait étonnante. C'était l'architecte naval le plus renommé au monde, un homme qui avait réussi et qui avait de lourdes responsabilités. Et pourtant, il trouvait toujours du temps à consacrer à un petit graisseur ou à une fille des cuisines. Déjà, à Belfast, il avait répondu patiemment aux questions de deux gamins en guenilles. Il avait même mis Daniel au défi d'imaginer de quelle façon couler son navire insubmersible.

À travers sa combinaison, Paddy se tâta la poitrine et

sentit le dessin de Daniel sous le tissu. Le moment était parfaitement choisi pour le montrer à la personne même pour qui il avait été fait. Mais alors, Paddy serait arrêté comme passager clandestin. Et puis, quel bien cela pourrait-il faire à ce pauvre Daniel, puisqu'il était déjà mort?

M. Andrews regarda Paddy avec un intérêt soudain.

– Nous sommes-nous déjà rencontrés?

Paddy baissa les yeux aussitôt.

– Je travaille dans les salles des machines, m'sieur. J'apporte de l'eau aux hommes, ajouta-t-il en brandissant son seau.

L'architecte hocha la tête, sourcils froncés.

– C'est bizarre, j'avais l'impression de t'avoir déjà vu ailleurs.

Et il disparut au bout du corridor avec le mécanicien, pour s'occuper d'autres affaires urgentes.

CHAPITRE HUIT

RMS *TITANIC*
SAMEDI 13 AVRIL 1912, 14 H 50

Alfie connaissait bien la soute à bagages. Au cours des longues heures qu'il y avait passées, dans l'espoir de découvrir d'où venait l'album de découpures de Jack l'Éventreur, il avait fini par savoir où se trouvaient les bagages de la plupart des passagers dont il devait s'occuper. Il ne lui fallut donc que quelques minutes pour repérer la malle des Bronson et l'ouvrir avec la clé de métal brillant que Mme Bronson lui avait prêtée.

En soulevant le couvercle, il fut étonné de voir aussi peu de vêtements pour deux dames voyageant en première classe. L'espace était presque entièrement occupé par d'épaisses piles de brochures, d'affiches et de prospectus imprimés proclamant les slogans des suffragettes. « LE DROIT DE VOTE POUR LES FEMMES! » pouvait-on lire sur une des affiches. Et « PLUS JAMAIS DE CITOYENNES DE SECONDE CLASSE! » sur une autre. Il y avait aussi des feuillets annonçant des rassemblements dans toute l'Angleterre, dont Amelia Bronson était la vedette. Pas étonnant que la mère de Sophie ait traversé l'océan simplement pour prononcer quelques discours. C'était elle, la figure de proue du mouvement pour lequel elle militait.

Alfie prit une brassée de papiers et referma la malle à clé. C'était tout ce qu'il avait à faire dans la cale. Avant de retourner vers les ponts supérieurs, il se glissa toutefois sous le filet qui retenait les bagages des Astor.

– Paddy, es-tu réveillé? murmura-t-il. Je t'ai apporté du pain.

Il ouvrit le couvercle de la malle et jeta un coup d'œil à l'intérieur. Paddy avait laissé sa marque en creux dans les étoffes fines, mais il n'y était plus.

Ce n'était pas très surprenant. Personne ne pouvait passer des jours entiers étendu dans une malle. Mais c'était quand même inquiétant, tant pour Paddy que pour Alfie lui-même. Si le passager clandestin se faisait prendre, la première chose qui intéresserait M. Lightoller serait sans doute de savoir qui l'avait aidé.

Alfie retrouva Mme Bronson sur la promenade fermée du pont B, une vingtaine de mètres plus haut que la soute à bagages. Elle était resplendissante, en violet, blanc et vert, en compagnie de Juliana et de sa fille.

– Voici les papiers que vous avez demandés, madame, dit-il, essoufflé d'avoir grimpé aussi vite.

– Merci, Alfie. Je suis certaine que le major va trouver ça très éclairant.

– Le *major?* demanda Sophie, ahurie. C'est pour le

major Rouflaquettes, ces paperasses?

– Il me les a expressément réclamées, confirma sa mère.

– Vous vous faites des illusions, Mère, répondit Sophie. Son intérêt soudain pour la cause n'est qu'une ruse pour vous amener à écouter ses histoires de guerre, ses histoires de chasse, ses histoires d'école, ses histoires sur tout ce qui lui est arrivé depuis qu'il est sorti du berceau.

– J'aimerais bien lire une de vos brochures, intervint timidement Juliana.

Le visage de Mme Bronson s'éclaira. Une nouvelle recrue!

– Puisses-tu ne jamais connaître l'humiliation que ta mère et ta grand-mère continuent d'endurer! s'exclama-t-elle en remettant un assortiment de papiers à Juliana.

– Si j'étais toi, suggéra Sophie, je ne montrerais pas ça à ton père. Sa Seigneurie ne semble pas du genre à appuyer le vote des femmes.

– Dans ce cas, montre-les-lui, au contraire! protesta Mme Bronson. Nous ne pouvons pas nous attendre à faire changer la situation si nous ne sommes pas prêtes à brusquer un peu les choses.

– Alors, maugréa Sophie, c'est pour ça que vous passez autant de vos nuits en prison?

– Une cellule de prison, fit la suffragette sans se démonter, c'est bien plus agréable à mes yeux que le confort ridicule et inutile de ce navire, si ça permet de faire avancer la cause.

– À Londres, il y avait des rats! lui rappela sa fille avec un frisson.

– Il y a des créatures pires que les rats, Sophie. Je pense en particulier aux hommes obstinés qui continuent de traiter la moitié de l'humanité comme des citoyennes de deuxième classe.

– Pardon, intervint l'aide steward Tryhorn en s'approchant du groupe.

Il prit Alfie à part.

– Il te réclame, dit-il à voix basse.

Avec un sourire d'excuse en direction des trois dames, Alfie reporta son attention sur le nouveau venu.

– Qui ça, « il »?

– Masterson. C'est toi qu'il veut.

Alfie sentit le cœur lui manquer. Alors, ça y était. Si M. Masterson le réclamait personnellement, c'était sûrement pour le dénoncer à l'un des officiers. Sa vie comme employé de la White Star Line, et compagnon de navigation de son père, était terminée.

– Où est-il? demanda-t-il enfin. Est-ce qu'il y avait quelqu'un avec lui? M. Lightoller, par exemple?

– Il est dans sa cabine, répondit Tryhorn. Il a sonné pour avoir un steward et, quand je suis arrivé, il m'a mis à la porte avec sa gentillesse habituelle et m'a demandé d'aller te chercher. Quel vieux grincheux!

– Tu as plutôt de la chance, gémit Alfie. C'est moi qui vais devoir m'occuper de lui.

L'ironie de la situation lui donnait envie de pleurer. Il

allait être dénoncé, et sa vie serait gâchée par *Jack l'Éventreur!*

– Bon, d'accord, j'y vais, soupira-t-il. Mais si tu n'entends plus parler de moi, envoie quelqu'un à ma recherche.

Il se tourna vers Mme Bronson, sa fille et Juliana.

– Veuillez m'excuser, mesdames. M. Masterson réclame mon attention.

– Alors, apporte une chaise et un fouet, lui conseilla Mme Bronson d'un air lugubre. C'est la méchanceté incarnée, cet homme!

– Mère! protesta Sophie, choquée. C'est vous qui êtes méchante!

– Ce n'est pas méchant si c'est la vérité. Je vois bien comment cet homme me regarde, moi et toutes les autres femmes, d'ailleurs. Il nous déteste.

– J'admets que ce n'est pas la personne la plus gentille à bord, concéda Sophie. Mais ce n'est sûrement pas facile pour lui. Il doit souffrir chaque fois qu'il essaie de faire un pas.

– Je peux comprendre la souffrance, répliqua Amelia Bronson. Mais la haine des femmes, c'est autre chose. C'est le produit d'un cerveau malade. Ne lui tourne jamais le dos, mon cher Alfie.

En montant l'escalier vers le pont A, Alfie se demanda jusqu'à quel point il devait prendre au sérieux l'avertissement de Mme Bronson. Elle avait certainement senti d'instinct le mal qui émanait de M. Masterson.

Après tout, Jack l'Éventreur était l'homme le plus misogyne qui soit.

Et maintenant, il a toutes les raisons du monde d'être en colère contre moi...

Bien sûr, l'homme était maintenant vieux et infirme. Mais le haut de son corps avait conservé une force phénoménale. Alfie ferait bien de rester sur ses gardes derrière les portes closes de la cabine A-17.

La porte apparut devant lui. Il frappa doucement.

– Entre, fit une voix maussade. Qu'est-ce qui t'a pris tant de temps? Tu avais autre chose de plus urgent à faire?

Alfie entra dans la cabine, en prenant grand soin de laisser la porte ouverte.

– Que puis-je faire pour vous, monsieur?

Masterson était assis dans un fauteuil bien rembourré, sa béquille à portée de la main. Il leva les yeux d'un air de défi.

– J'ai besoin de ton aide pour mes activités de la journée.

Envahi par une immense vague de soulagement, Alfie faillit s'effondrer. Finalement, ce vieux grognon n'avait pas l'intention de le dénoncer parce qu'il avait été impoli envers lui un peu plus tôt. Mais que lui voulait-il, au juste?

– C'est le steward Tryhorn qui est affecté à votre service, monsieur. Il est plus qualifié que moi pour répondre à vos besoins.

– Ce cornichon diplômé? railla le vieil homme. Il est à

peine capable de répondre à ses propres besoins. C'est toi que je veux.

– J'avais l'impression, fit Alfie en avalant péniblement sa salive, que vous n'étiez pas satisfait de mes services.

– Tu n'es pas payé pour avoir des impressions, grommela Masterson. Mais tu es la seule personne à avoir un peu de cran, dans ce palace flottant. Ça me plaît.

Alfie ferma les yeux un quart de seconde, un peu étourdi. Il plaisait à Jack l'Éventreur! Oh, qu'est-ce que sa mère dirait de ça?

– Merci, monsieur. Je suis heureux de pouvoir vous aider.

– Non, tu ne l'es pas, ricana le vieil homme. Tu aimerais bien prendre ma béquille et me la casser sur la tête. Avoue! Tu penses que je ne sais pas que je suis un vieil ours mal léché? Essaie un peu de te traîner sur deux jambes en coton, et tu verras si tu seras d'humeur à plaisanter!

Alfie entreprit de faire le ménage sur la table de chevet, rangeant les bouteilles de pilules et sortant des mouchoirs propres. C'était plus facile s'il ne regardait pas directement M. Masterson. Il trouvait pénible de lui faire la conversation en soutenant le regard de ses yeux de cobra.

– Puis-je vous demander, monsieur, risqua Alfie, depuis quand vous vous trouvez dans cette situation regrettable? Avez-vous toujours été comme ça?

– Non, pas toujours, et c'est bien ça le pire. Autrefois, j'étais un jeune homme fringant, et je n'avais aucun mal à vaquer à mes occupations. Je ne me souviens même pas de ce qui a effrayé ce cheval. Certains ont dit que c'était un éclair. Les passagers de la voiture ont été tués tous les deux. Ils ont eu plus de chance que moi. Moi, j'ai été écrasé sous les roues. Résultat : colonne vertébrale brisée.

– Mais c'est *vous* qui avez eu de la chance! protesta Alfie, sérieux. Vous êtes en vie.

– Tu appelles ça une vie, mon garçon? cracha Masterson. Il y a 24 ans, je faisais un travail important! J'accomplissais quelque chose! Et maintenant, je ne suis plus que la moitié d'un homme.

Un travail important! Alfie eut un frisson. Jack l'Éventreur considérait-il ses meurtres en série comme une mission? Sans cet accident de voiture, les horribles crimes de Whitechapel auraient peut-être continué!

– Je suis vraiment désolé, monsieur, réussit-il à dire. Mais vous devez avoir hâte de visiter l'Amérique. Ce sera sûrement agréable.

– Ce n'est pas un voyage d'agrément, mon garçon, aboya Masterson. Je suis en correspondance avec un médecin de New York qui pense pouvoir me guérir!

Alfie fut glacé d'horreur.

– Vous guérir? répéta-t-il faiblement.

– Je l'espère bien, acquiesça Masterson. Bien sûr, je ne suis plus jeune. Mais être *moi* de nouveau, être libéré de cette prison qu'est devenu mon propre corps! Si l'Amérique pouvait me faire ce cadeau, je serais prêt à donner n'importe quoi en retour!

Alfie avait le cerveau en ébullition. Qu'arriverait-il si M. Masterson était guéri et qu'il était soudain libre de se promener dans les rues de New York? Reprendrait-il le « travail important » que son accident avait interrompu 24 ans plus tôt? L'Amérique connaîtrait-elle à son tour des meurtres comme ceux de Whitechapel?

– Justement, poursuivit le vieil homme en tendant à Alfie une feuille de papier pliée, j'ai un message pour mon médecin américain. Apporte-le à la salle Marconi et assure-toi qu'il soit envoyé immédiatement.

En montant vers le pont des embarcations, où le soleil brillait de tous ses feux, Alfie tenait le papier entre ses mains tremblantes comme s'il s'était agi d'un engin explosif à manipuler avec précaution.

Un message de Jack l'Éventreur!

Le souffle court, il déplia la feuille de papier et jeta un coup d'œil sur son contenu.

Arrive mercredi à bord du Titanic. *Espère rendez-vous au bureau jeudi, sinon vendredi. Masterson*

Alfie était presque déçu. Ce n'était qu'une simple demande de confirmation pour un rendez-vous.

Mais il ne pouvait s'empêcher de penser que, s'il contribuait à l'envoi de ce « marconigramme », il favoriserait peut-être la renaissance du redoutable meurtrier de Whitechapel.

Pourtant, il n'avait pas le choix. M. Masterson

demanderait sûrement le reçu de la société Marconi.

Oh, maman! Si tu savais dans quoi ton fils s'est embarqué!

À bord du *Titanic*, même le local du télégraphe était luxueux, avec ses lambris sombres et son épaisse moquette moelleuse. Les tables avaient beau être encombrées de transmetteurs et de récepteurs, il s'agissait de meubles de la plus haute qualité, dans un style français très élégant.

Normalement, il n'y avait qu'un seul opérateur à la fois pour assurer le fonctionnement de l'équipement. Mais aujourd'hui, Jack Phillips et Harold Bride étaient là, tous les deux, occupés à envoyer des messages en code Morse en tapant frénétiquement sur leur appareil. Ni l'un ni l'autre ne remarquèrent l'arrivée d'Alfie.

Le jeune steward s'éclaircit la voix.

– J'ai un « marconigramme » à faire envoyer, de la part de M. Masterson, de la cabine A-17.

– Il va devoir attendre, répondit Jack Phillips sans lever les yeux.

– M. Masterson n'est pas le genre d'homme à attendre patiemment, ni tranquillement, répliqua Alfie mal à l'aise.

Harold Bride lui désigna une énorme pile de messages empalés sur une tige de métal portant la mention « Envois ».

– Tous ces gros riches qui sont à bord veulent être certains que leurs amis tout aussi riches et leurs partenaires d'affaires encore plus riches sont au courant de leur présence ici, pour la traversée inaugurale du

Titanic. Quand les Astor, les Guggenheim, les Straus et tous les autres auront dit ce qu'ils ont à dire, sans se soucier de ce que ça coûte, ton M. Masterson aura lui aussi le privilège de dépenser trop d'argent pour communiquer très peu d'informations à quelqu'un qui est très loin d'ici.

Sans dire un mot, Alfie ajouta son message sur la tige de métal. M. Masterson ne serait pas content.

– Vous allez lui apporter le reçu? demanda Alfie.

– Oh, bien sûr! ricana Harold Bride. On a plein de temps pour ça. C'est à ce moment-là que j'attache une vadrouille à mon pantalon pour pouvoir nettoyer le pont tout en courant!

– T'occupe pas de lui, intervint Jack Phillips. Il n'aime pas qu'on le fasse travailler jusqu'à ce qu'il en crève.

Il tendit à Alfie une feuille de papier portant quelques mots gribouillés à la main.

– Écoute, mon vieux, tu veux bien apporter ce message à la passerelle pour moi? Tous les avis de glace doivent être remis directement au capitaine. C'est le règlement.

– Mais il date de trois heures! s'écria Alfie en voyant l'heure indiquée sur l'avis.

– Eh bien, celui-ci est plus frais, intervint Harold Bride en lui tendant une autre note.

– Y a-t-il beaucoup de glace? demanda Alfie après avoir parcouru la note rapidement.

– Ça peut être le même iceberg, signalé par deux

navires différents, répondit Jack Phillips en haussant les épaules. Il ne faut pas te tracasser pour ça! Avril, c'est la saison de la glace. L'Arctique se réchauffe, les glaciers cassent, c'est la même chose chaque année.

On entendit soudain une série de claquements. Il y eut des étincelles, puis un grésillement d'appareil électrique. Et l'équipement disparut dans un nuage de fumée.

Harold Bride jura.

– Pas encore! s'exclama-t-il.

Son partenaire agita une liasse de formulaires Marconi pour tenter de dissiper le nuage.

– J'espère que tu n'as pas l'intention de dormir cette nuit, grogna Jack Phillips. Ça va nous prendre des heures pour rétablir tout ça. File! ajouta-t-il en se tournant vers Alfie. Et dis-leur que le télégraphe est encore en panne.

Alfie fit le court trajet jusqu'à la passerelle de navigation.

Le quatrième officier Boxhall était aux commandes. M. Lightoller et le capitaine Smith étaient également présents, en compagnie du directeur général de la White Star Line, J. Bruce Ismay.

Le deuxième officier Lightoller fut le premier à remarquer le jeune steward.

– Vous êtes...?

– Alphonse Huggins, monsieur.

– Huggins, hein? fit le deuxième officier en haussant les sourcils. C'est donc vous que le passager clandestin a mentionné. Comment expliquez-vous qu'il connaisse votre nom?

– Peut-être qu'il l'a vu sur le registre de l'équipage, suggéra timidement Alfie.

– Et qu'est-ce que vous faites sur la passerelle, Huggins? gronda Lightoller.

– Il y a un problème dans la salle Marconi, annonça Alfie. M. Phillips fait dire qu'il faudra plusieurs heures pour réparer.

Le deuxième officier eut un petit rire sans joie.

– Si les hommes étaient faits pour communiquer à travers les océans, le bon Dieu leur aurait donné des voix plus fortes.

– J'ai aussi deux avis de glace pour le capitaine, ajouta Alfie en tendant les deux feuilles de papier.

– Je vais les prendre, dit Lightoller.

– Si je comprends bien, monsieur, fit Alfie en retirant sa main, le protocole exige que ces avis soient remis au capitaine en main propre.

Lightoller, amusé, fit un pas de côté, et Alfie s'avança vers le commodore de la société maritime.

– Je sais que sa vitesse est impressionnante, disait M. Ismay au même moment, mais vous savez qu'il peut faire encore mieux.

Le capitaine Smith prit les messages d'Alfie, y jeta un bref coup d'œil et se tourna vers le directeur général.

– Oui, mais est-ce qu'il *devrait* faire mieux?

– Mais bien sûr que oui! s'exclama J. Bruce Ismay. Vous ne voulez pas voir de quoi le *Titanic* est capable avec ces deux chaudières de plus? Je ne suis qu'un passager, naturellement, mais moi, j'aimerais bien voir ça!

Le capitaine Smith sembla réfléchir quelques secondes. Puis il appela son deuxième officier.

– Monsieur Lightoller, faites allumer les deux dernières chaudières, dit-il. Ce sera certainement intéressant de voir toute la puissance de ce navire.

Alfie le regarda sans comprendre. Les deux avis de glace ne semblaient pas préoccuper le capitaine.

CHAPITRE NEUF

RMS *TITANIC*
SAMEDI 13 AVRIL 1912, 21 H 05

Toujours vêtu de son ample combinaison, Paddy grimpa jusqu'à l'entrepont par l'escalier arrière. Il tenait à la main un bouquet de délicates orchidées blanches.

Curran Rankin, 16 ans, éclata de rire en le voyant.

– Eh ben! Regardez-moi ça! Si ce n'est pas mon ex-frère Patrick! Où t'en vas-tu avec tes fleurs? Tu te maries?

– C'est pour ta mère, répondit Paddy avec un grand sourire. Directement de la salle à manger de première classe! Si elles sont assez belles pour les millionnaires, elles sont assez belles pour la plus gentille des femmes, qui a aidé un pauvre gars à échapper à un marin trop curieux.

– Oh, elle était contente de le faire. Qu'est-ce que ça change, un fils de plus ou de moins, quand on en a déjà autant?

– Où est-elle? demanda Paddy. Dans la cabine?

– Suis-moi.

Curran le précéda dans les couloirs de troisième classe. Ils dépassèrent la cabine des Rankin et continuèrent jusqu'à l'arrière du navire.

« Où est-ce qu'on s'en va? » se demanda Paddy. Il se rendit compte que les couloirs étaient remplis de passagers qui marchaient tous dans la même direction.

– Ne me dis pas que les passagers de l'entrepont doivent s'installer sur les hélices, maintenant!

– Chut! répondit Curran en riant. Il ne faut pas donner des idées comme ça à la White Star Line! Par ici. Je te promets que tu ne seras pas déçu.

Ils grimpèrent un escalier parmi la foule des passagers et pénétrèrent dans le salon de troisième classe. Paddy commença à distinguer la musique : un joueur de pipeau et un violoneux interprétaient une gigue irlandaise endiablée.

Maintenant, la migration ressemblait presque à une course affolée, les passagers traversant la pièce en vitesse pour se rendre... où?

Enfin, Paddy se retrouva dehors à l'arrière, sur le pont du coffre, en plein cœur de la plus grande fête qu'il ait jamais vue. Des centaines de passagers de l'entrepont dansaient, sautaient et tapaient des mains au rythme de la musique.

– On a peut-être pas leur champagne qui coule à flots et leurs serveurs costumés, fit remarquer Curran avec un gigantesque sourire. Mais quand vient le temps de s'amuser, on pourrait apprendre une ou deux choses à tous ces millionnaires.

Paddy tenait son bouquet à bout de bras pour éviter qu'il se fasse écraser. Malgré la nuit glaciale, la chaleur dégagée par tous ces corps en mouvement gardait la température ambiante à un niveau confortable.

Et la musique! Paddy n'avait jamais rien entendu de tel, même à Belfast. Ici, on sentait battre le cœur de centaines de petits villages d'Irlande, comme celui d'où il venait, dans le comté d'Antrim. Il se serait presque cru chez lui.

Il sentit une main s'abattre sur son épaule pour le forcer à se retourner. Il eut un instant de panique.

Comment est-ce que je vais pouvoir m'enfuir au milieu de cette foule?

– Il ne faut pas avoir peur, mon chéri. C'est juste moi!

Mme Rankin le serra solidement dans ses bras, écrabouillant les fleurs du même coup.

– Elles étaient pour moi? Oh, comme c'est gentil! Je suis sûre qu'elles étaient magnifiques! conclut-elle en brandissant les tiges.

Paddy dut crier pour se faire entendre par-dessus la musique et le bruit de la foule.

– Je voulais vous dire merci et m'assurer que vous n'aviez pas eu de problèmes à cause de moi.

– Tout va bien, Paddy, le rassura-t-elle. Allez, viens danser avec ta maman!

Paddy recula d'un pas.

– Je ne devrais pas. Les officiers savent que je me suis caché en troisième classe.

– Tu penses vraiment qu'on laisserait un de ces Anglais prétentieux s'emparer d'un des nôtres? demanda la dame. Allez, accorde-moi donc cette danse!

Paddy accepta avec reconnaissance. De toute manière, ses orteils commençaient à bouger tout seuls.

☆

– On arrive, Alfie!

Juliana avait du mal à suivre le jeune steward, qui traînait les deux jeunes filles vers l'arrière du navire, sur le pont des embarcations.

– Vous n'êtes pas obligé de nous arracher les bras!

Alfie ne lâcha pas les mains de ses compagnes pour autant.

– Je ne veux pas que vous ratiez ça! s'exclama-t-il en leur faisant signe d'accélérer.

– Rater quoi? demanda Sophie, essoufflée. Qu'est-ce qu'il y a là de si extraordinaire, pour qu'on doive avaler notre dessert à toute vitesse et faire ensuite une course olympique sur toute la longueur du navire?

– Faites-moi plaisir, supplia Alfie. Après avoir passé la journée sous les ordres d'un tyran comme M. Masterson, j'ai bien besoin de m'amuser un peu avec des amies.

– J'aurais cru que vous montreriez un peu plus de sympathie pour un pauvre infirme, lui dit Sophie, l'air désapprobateur.

Alfie se rembrunit.

– Gardez votre sympathie pour ceux qui la méritent.

Ils dépassèrent la quatrième cheminée et descendirent

l'escalier menant au pont promenade de deuxième classe.

Une petite foule était rassemblée à la balustrade, mais Juliana n'arrivait pas à voir ce que les gens regardaient. Une musique endiablée provenait du niveau inférieur, avec le brouhaha de nombreuses voix excitées et le bruit de pieds frappant le sol.

Enfin, Alfie réussit à se faufiler jusqu'au poste d'observation, traînant les jeunes filles derrière lui. En bas, le pont du coffre grouillait de monde : des centaines de passagers dansaient, chantaient et s'amusaient grandement. La foule était si dense qu'on ne voyait pas un centimètre du pont. C'était un blizzard de couleurs et de mouvements, au rythme endiablé de la musique.

La scène n'était pas seulement vivante, c'était la vie même. Comme pour compenser le fait que leurs vêtements étaient plus simples et plus ternes que les beaux habits et les bijoux étincelants des gens de première classe, les fêtards débordaient d'énergie et d'enthousiasme.

– Je suis jalouse, murmura Sophie, admirative. Les passagers de première classe ont payé beaucoup plus cher; pourtant, ce sont ceux de l'entrepont qui se paient du bon temps.

– Je savais que vous seriez contentes de voir ça, dit Alfie, satisfait.

Juliana n'en revenait pas. Jusque-là, elle n'avait jamais observé les petites gens autrement qu'en train de remplir leurs fonctions de boutiquiers, de femmes de chambre, de cochers... Elle n'avait jamais envisagé par exemple que leur gouvernante, Mme Musgrave, puisse avoir une vie en dehors de ses devoirs envers la famille Glamm. Et pourtant, il y avait là des gens exactement comme cette dame, des centaines de gens, même, qui n'étaient pas là pour remplir une fonction. Ils s'amusaient, tout simplement.

Son regard se posa sur un danseur particulièrement agile. Même s'il était engoncé dans une épaisse combinaison couverte de suie, il agitait les bras et les jambes avec une grâce athlétique et une expression proche du ravissement.

Les autres danseurs l'avaient remarqué eux aussi, et ils s'arrêtèrent pour l'observer, en formant un cercle de plus en plus grand autour de lui. Cet espace supplémentaire sembla faire pousser des ailes aux pieds du danseur, qui tournoyait maintenant comme une toupie au son du violon. Les traits de son visage étaient impossibles à distinguer, jusqu'à ce qu'il commence à ralentir et...

Sophie se pencha vers l'avant, sourcils froncés.

– Mais, attendez, c'est...!

– Paddy! souffla Alfie, horrifié.

– Qu'est-ce qu'il fait là, au milieu de la fête? demanda Juliana. Il ne connaît pas ces gens-là.

– C'est un très bon danseur, commenta Sophie, impressionnée.

– On s'en fiche qu'il danse comme le roi de Siam! s'écria Alfie. Il est censé se cacher! Qu'est-ce qui lui prend de s'agiter comme ça devant tout le monde? Il a perdu la tête, ou quoi?

– Il a toujours été comme ça, souligna Sophie. En voilà seulement une preuve de plus.

– Il faut faire quelque chose, Alfie! supplia Juliana en se tournant vers le jeune steward. Je n'ai pas risqué ma réputation en mentant pour le protéger, simplement pour le voir se livrer de lui-même aux officiers!

À la fin de sa tirade, elle parlait dans le vide. Alfie était déjà parti en courant vers la superstructure et l'escalier le plus proche.

– Dieu soit béni! fit une voix trop familière derrière les deux jeunes filles.

Le major Mountjoy approcha son ventre rebondi de la balustrade.

– Je me suis demandé : « Mountjoy, qu'est-ce qui attire tout ce monde sur la promenade de deuxième classe? » Mais maintenant que je vous vois ici, mes jolies demoiselles, j'ai trouvé la réponse à ma question!

Juliana et Sophie échangèrent un regard désespéré. Les deux amies étaient bien prêtes à se montrer gentilles et polies avec le major Rouflaquettes. Mais pas maintenant!

Elles s'élancèrent derrière Alfie.

– Grands dieux, où allez-vous comme ça? demanda le major, interdit.

– En bas! lança Sophie derrière son épaule.

Ébahi, le major Mountjoy se pencha au-dessus de la balustrade et aperçut la foule qui s'amusait sur le pont du coffre.

– Mais... Mais... C'est la *troisième* classe!

Les jeunes filles pénétrèrent dans la superstructure au moment même où Alfie disparaissait dans l'escalier. Elles le suivirent à toute vitesse et sortirent à l'endroit où la musique leur paraissait la plus forte. Elles se mirent à courir sur le pont du coffre, mais furent bientôt arrêtées par un véritable mur de corps humains.

– Pardonnez-moi, fit poliment Juliana.

Personne ne l'entendit, pas même Sophie, qui était juste à côté d'elle. Sophie prit son amie par le bras et fonça à travers la foule.

La fille du comte de Glamford n'avait jamais, de toute sa vie, vécu une telle expérience. Elle avait l'impression d'être écrasée par la foule, comme du glaçage expulsé d'une douille à pâtisserie. Mais Sophie semblait savoir exactement comment naviguer au milieu de cette masse grouillante, probablement grâce à l'expérience acquise pendant les rassemblements avec sa mère. Elle avançait avec assurance, alors que Juliana luttait de son mieux contre l'évanouissement.

Les deux jeunes filles attiraient les regards, certains curieux, d'autres hostiles. Leurs beaux vêtements de velours et de soie révélaient clairement leur classe.

Quand elles arrivèrent enfin au centre du rassemblement, elles furent accueillies par un spectacle désolant. Un grand Irlandais bâti comme une armoire à glace tenait Alfie par le cou, tandis que plusieurs autres regardaient la scène, les poings fermés, d'un air menaçant.

– Il n'est pas venu m'arrêter! criait Paddy pour tenter de couvrir le vacarme. Tout va bien! C'est mon ami!

Il aperçut les deux jeunes filles devant lui.

– Qu'est-ce que vous faites ici, toutes les deux?

Le malaise qu'avait ressenti Juliana jusque-là se transforma instantanément en colère.

– Qu'est-ce que *nous*, on fait ici? C'est plutôt à *vous* qu'il faudrait poser la question! On a tous risqué notre peau pour vous protéger! Et comment est-ce que vous nous remerciez? Vous feriez aussi bien d'écrire votre nom sur une bannière et de la faire flotter entre les cheminées! Êtes-vous tombé sur la tête, ou simplement faible d'esprit?

Curran Rankin s'amusait ferme.

– Paddy, tu ne m'avais jamais dit que ta mère était une riche dame anglaise. Comment tu as fait pour être pauvre et laid comme ça?

Paddy se tourna vers les deux jeunes filles.

– Je suis en sécurité ici. Regardez autour de vous. J'ai une armée pour me défendre! Ils étaient prêts à lancer Alfie à la flotte juste parce qu'il porte un uniforme de la White Star!

– Et combien de temps est-ce que ton armée va pouvoir tenir si les officiers arrivent avec des pistolets? demanda Sophie.

– Je vais me cacher, promit Paddy. Plus tard. Mais pour le moment, je veux juste m'amuser un peu.

Au même moment, le violoneux se remit à jouer. Paddy prit les deux jeunes filles par la main.

– Allez, venez. Quand est-ce que deux belles demoiselles comme vous auront une autre chance de danser avec un dangereux fugitif qui a deux longueurs d'avance sur les policiers?

Sans leur donner le temps de protester, Paddy entreprit de leur apprendre à danser la gigue irlandaise. Sophie avait le sens du rythme, et elle réussit immédiatement. Mais pour Juliana, c'était une autre histoire. Les leçons de danse qu'elle avait suivies pendant des années l'empêchaient de se laisser aller. Les pas qu'elle avait appris, presque en même temps qu'elle avait appris à marcher, ne lui servaient à rien ici.

Paddy comprit ce qui n'allait pas.

– Il n'y a pas de mauvaise façon de faire! cria-t-il pour couvrir le vacarme. Laissez-vous aller!

Mais Juliana doutait fort que ce soit possible pour la fille du 17e comte de Glamford.

CHAPITRE DIX

RMS *TITANIC*

SAMEDI 13 AVRIL 1912, 22 H 10

Il jouait trop.

D'après Elizabeth, comtesse de Glamford, c'était la plus grande faiblesse de son mari.

Mais le comte savait que ce n'était pas le cas. Le problème n'était pas qu'il jouait trop. C'était qu'il perdait trop.

Il sortit du salon de première classe en chancelant légèrement et se dirigea vers le pont des embarcations pour prendre un peu d'air. S'il arrivait à s'éclaircir les idées, il pourrait retourner jouer quelques autres manches. Et la chance tournerait peut-être en sa faveur.

Mais il allait sans doute devoir oublier ça. Mountjoy arrivait vers lui, probablement armé de quelques millions de mots bien choisis. Si le comte laissait à ce bavard le loisir de se lancer dans une de ses histoires interminables, il ne retournerait jamais au salon.

Il alla se placer dans l'ombre d'une haute colonne de ventilation et fit semblant d'allumer une cigarette. En vain.

– Hé, Glamford! appela le major avec sa jovialité habituelle. Je vous souhaite une belle et bonne soirée.

– Mountjoy, répondit le compte d'un ton sec.

– Je dois vous féliciter, mon cher. Vous et madame la comtesse avez élevé une jeune demoiselle remarquable. Sa capacité de se mêler à toutes les couches de la société est tout à son honneur, et au vôtre.

– Ma fille? demanda le compte, soudain attentif. Juliana?

– En ce moment même, elle danse sur le pont du coffre, à l'arrière.

– Mountjoy, que dites-vous là? s'exclama le comte. Personne ne va sur le pont du coffre! C'est l'entrepont!

– Exactement, répondit le major en souriant. *Toutes* les couches de la société, y compris celle-là. Bonne nuit, Votre Seigneurie. Dormez bien!

Personne n'avait jamais vu Rodney, comte de Glamford se déplacer aussi vite. Il dégringola l'escalier jusqu'à la promenade de deuxième classe. La foule des spectateurs était entassée sur trois rangs devant la balustrade, et il dut se mettre sur la pointe des pieds pour apercevoir le pont du coffre, au niveau inférieur.

Les fêtards s'amusaient avec une fougue et un abandon disgracieux. Mais pouvait-on vraiment s'attendre à autre chose des passagers de l'entrepont?

Il parcourut la scène du regard et aperçut sa fille.

Elle dansait, en effet. Quoique... Non, le terme était

bien trop civilisé pour décrire ce qu'elle faisait. Elle bougeait avec une véritable frénésie, la tête renversée vers l'arrière, les cheveux défaits, flottant librement. Et elle avait sur le visage une expression de joie profonde, de pur ravissement, même.

Pour une jeune dame de son rang et de sa lignée, c'était tout à fait inadmissible.

Sophie, la jeune Américaine, était là elle aussi. Et elle se tenait tout aussi mal, même si sa suffragette de mère aurait probablement trouvé ce comportement socialement progressiste. De plus, Juliana et Sophie étaient toutes les deux pendues aux bras d'un garçon en vêtements de travail crasseux. Et, tout près d'eux, assez près pour les toucher!, il y avait... *ces gens-là!* Des émigrants! Des étrangers! Et quoi d'autre encore?

Le comte était bouche bée. Comment la White Star Line pouvait-elle tolérer une chose pareille? À bord du navire le plus extraordinaire à sillonner les mers du globe, un gentilhomme comme lui ne devrait pas avoir à se préoccuper de la réputation de sa fille!

Il remonta en courant jusqu'au pont des embarcations et attrapa au collet la première personne en uniforme de la White Star qu'il vit.

– Sur quel genre de navire sommes-nous, dites-moi? L'entrepont est en plein chaos, et des jeunes filles y sont attirées pour prendre part à des danses et à des réjouissances immorales!

Le pauvre garçon d'office était simplement sorti

prendre un peu l'air avant d'aller se coucher. Il ne s'attendait pas à se faire prendre à partie par un noble enragé. Il resta planté là, sans dire un mot, à se faire tirer les oreilles par le comte qui poursuivait son sermon.

– Puis-je vous aider, Votre Seigneurie? demanda soudain une voix calme à côté de lui.

Le comte se retourna et se retrouva nez à nez avec le deuxième officier Charles Herbert Lightoller.

– Oui, vous pouvez! Il y a une scène d'anarchie et de débauche qui se déroule en ce moment même à l'arrière, sur le pont du coffre!

– Les passagers de l'entrepont ne sont pas logés très confortablement, répondit Lightoller en souriant respectueusement, et ils n'ont pas grand-chose pour se divertir. Nous essayons de ne pas leur tenir rigueur de leurs petites fêtes, aussi vulgaires qu'elles puissent nous paraître.

– Leurs petites fêtes? explosa le comte. Je vous signale que ma fille a été pratiquement kidnappée et forcée d'y participer!

– Je comprends! fit le deuxième officier, dont le visage s'était brusquement rembruni. Je vais la renvoyer tout de suite dans votre cabine.

Il descendit sur le pont de deuxième classe, où les spectateurs étaient rassemblés, et baissa les yeux vers les danseurs en pleine action. Il repéra presque immédiatement Sophie et Juliana. Avec leurs robes du soir de couleurs vives, on aurait dit deux lys dans un champ de foin.

« Dommage d'empêcher ces jeunes de s'amuser », songea-t-il l'espace d'un instant. Mais si le comte trouvait cela inapproprié, eh bien, cela l'était!

Son regard se porta ensuite sur le partenaire de danse des deux jeunes filles, le jeune garçon en combinaison de travail dont les traits étaient embrouillés, tellement il bougeait vite.

La chanson se termina, les danseurs s'immobilisèrent. Et le visage du garçon lui apparut clairement.

Lightoller frémit. C'était le passager clandestin.

CHAPITRE ONZE

RMS *TITANIC*
SAMEDI 13 AVRIL 1912, 22 H 25

Paddy Burns se rappelait enfin ce que c'était le bonheur.

C'était la vitesse qui faisait cet effet-là, décida-t-il. Comme si ce mouvement perpétuel pouvait effacer toute la malchance qui lui était tombée dessus dans sa vie : la pauvreté de sa famille, la brutalité de son beau-père, la misère dans les rues de Belfast, l'assassinat de son meilleur ami par la bande des Gilhooley et sa vie de bête traquée à bord du *Titanic*. Rien de tout cela ne pourrait l'atteindre tant qu'il continuerait à bouger.

Il avait l'impression d'avoir des ailes aux pieds en faisant tournoyer les jeunes filles au centre du vaste cercle formé par les passagers de l'entrepont, qui tapaient des pieds et des mains en cadence. Même Alfie, malgré son air pincé et inquiet, secouait la tête au rythme de la musique.

Le bruit des pieds sur le sol fut le premier à s'interrompre. La foule commença à s'agiter, puis à se disperser. Le deuxième officier Lightoller fonçait vers les danseurs, flanqué de deux matelots de deuxième classe.

C'est Sophie qui les aperçut la première.

– Paddy! *Sauve-toi!* cria-t-elle.

Avant que Paddy ait le temps de réagir, il sentit la main de Lightoller lui encercler le poignet. Il eut beau se démener comme un diable, il ne réussit pas à se dégager de cette poigne de fer.

Juliana fit la première chose qui lui passait par la tête. En criant « Je vais m'évanouir! », elle se jeta vers l'avant, comptant sur la galanterie du deuxième officier.

Il ne la déçut pas. L'officier lâcha Paddy et rattrapa Juliana juste avant qu'elle ne s'effondre sur le pont. Lorsqu'il releva les yeux, le garçon avait disparu.

Ensuite, ce fut le chaos total. Les fêtards s'écartèrent pour laisser passer Paddy, mais refermèrent aussitôt leurs rangs pour barrer le passage au deuxième officier et à ses hommes. Personne n'intervint physiquement pour les empêcher d'avancer, mais le mur formé par les passagers de troisième classe tint bon malgré les imprécations de Lightoller.

Paddy enfila en vitesse un petit escalier pour quitter le pont du coffre et regarda autour de lui. Attaché à la balustrade, un épais cordage s'élevait au-dessus de sa tête : c'était un des haubans accrochés au mât arrière. Avec une prière silencieuse, il se hissa sur le câble tendu et alla atterrir sur la promenade de deuxième classe, loin derrière les spectateurs qui regardaient la scène au-dessous.

Courant à toute vitesse, il vira à 90 degrés, franchit une grille et se glissa dans l'entrée secondaire du Café-Véranda.

C'était une des pièces les plus extraordinaires du navire, avec ses murs ornés d'un treillis noir couvert de vigne et ses meubles en rotin d'un blanc immaculé. Le café était désert, à l'exception d'un serveur solitaire qui ramassait de la vaisselle sale. Il leva les yeux vers le nouveau venu en combinaison crasseuse.

– Qu'est-ce que vous faites ici?

– On m'a envoyé aider au ménage, haleta Paddy.

– Comment? Habillé comme ça?

Paddy entendit des pas dans le couloir. Il n'avait pas le temps de discuter avec le serveur.

– Je suis censé *aider*!

Il arracha le plateau au serveur ébahi, le souleva à la verticale et en projeta le contenu vers la porte.

Il avait parfaitement choisi son moment. En entrant dans le café, Lightoller fut bombardé de jus, de café froid et de desserts à moitié terminés. Des verres et des cendriers allèrent se fracasser par terre.

Paddy détala en laissant dans son sillage une rangée de tables renversées. Cela ne ralentirait pas beaucoup le deuxième officier, mais ce serait peut-être suffisant pour donner au fugitif le temps de disparaître.

Il enfila le couloir, regardant à droite et à gauche dans l'espoir de trouver un escalier ou une échelle, pour quitter le pont A. Enfin, il aperçut une rampe escarpée, destinée aux stewards. Il s'y dirigea en courant et disparut juste au moment où Lightoller faisait irruption hors du café.

Comme il ne voyait plus trace du gibier qu'il pourchassait, le deuxième officier décrocha le téléphone de communication interne posé sur la cloison.

La rampe menait tout droit au pont B, sans s'arrêter au pont C. Tout en courant, Paddy se débarrassa de sa combinaison et la laissa tomber sur la moquette derrière lui. Ses poursuivants penseraient peut-être qu'il était sur le pont C. Ils voudraient sans doute fouiller tous les placards et les compartiments. Ça les tiendrait occupés un certain temps, et Paddy serait déjà loin.

Il prit l'escalier jusqu'au pont E et déboucha dans Scotland Road. Par cette voie, il serait à la proue du navire en quelques minutes, loin de l'endroit où Lightoller l'avait vu en dernier.

Il ralentit, se contentant de marcher à vive allure. Il n'y avait pas autant de monde que pendant la journée, mais il était quand même entouré de membres d'équipage. Il risquait d'attirer l'attention s'il se dépêchait trop. Il perçut d'ailleurs quelques regards curieux et se demanda s'il avait bien fait d'enlever sa combinaison. Il portait à nouveau la chemise et la culotte d'un jeune passager de l'entrepont. Ce n'était peut-être pas le meilleur déguisement pour passer inaperçu dans la partie fonctionnelle du navire.

Mais il n'atteignit jamais la proue, loin de là! Il n'avait pas fait 50 mètres dans le large couloir quand il aperçut un marin qui parlait dans un des téléphones intérieurs et, surtout, qui l'examinait avec attention.

S'il avait mis quelques secondes de plus à comprendre ce qui se passait, il se serait probablement fait prendre.

Il est en communication avec la passerelle! Ils ont lancé un avis de recherche sur tout le navire!

Il détala, sauta par-dessus la rambarde d'une échelle d'accès et dégringola hors de vue. En descendant, il eut l'impression que tout le navire autour de lui disparaissait. Il était suspendu dans l'obscurité, accroché aux barreaux d'un interminable couloir vertical, lui semblait-il.

Les bruits s'amplifièrent : un vrombissement mécanique, accompagné d'une vibration qu'il ressentit jusqu'au plus profond de son être. Il savait maintenant ce qu'il y avait en dessous. Il se dirigeait vers les gigantesques moteurs alternatifs du navire.

Maintenant que ses yeux étaient habitués à l'obscurité, il distinguait tout un réseau de gros tuyaux : c'est par là qu'arrivait la vapeur qui faisait tourner les énormes cylindres. On aurait dit des créatures vivantes venues d'un autre monde, tels des géants aux bras tentaculaires accomplissant un rituel sans fin.

Enfin, il distingua le pont et posa les pieds sur une surface solide. Mais il se sentit bientôt défaillir en apercevant un mécanicien. Il reconnut facilement l'appareil qu'il tenait contre son oreille : un téléphone. Même ici, dans les entrailles profondes du navire, il ne pourrait pas échapper à Lightoller.

De plus en plus préoccupé, Paddy comprit que les règles du jeu avaient changé, dans cette ville flottante. Il avait été assez rapide et futé pour échapper à un officier. Mais, grâce aux téléphones de communication du *Titanic*, il n'était plus la proie d'une seule personne, il était pourchassé par près de 900 membres d'équipage.

Le cœur battant, il courut au cœur du dédale mécanique. Il espérait pouvoir disparaître dans la forêt de supports maintenant le moteur en place. Derrière son épaule, il vit un gigantesque cylindre arriver sur lui.

Soudain pris de panique, il se jeta par terre sur le pont. Il ferma les yeux et attendit d'être écrasé comme un moustique sous des tonnes d'acier.

CHAPITRE DOUZE

RMS *TITANIC*
SAMEDI 13 AVRIL 1912, 22 H 35

Arrivé au point le plus bas de sa trajectoire, l'énorme pièce mécanique passa à quelques centimètres au-dessus de la tête de Paddy.

– Allez, sors de là, mon gars, appela le mécanicien. Tu ne peux pas rester caché toute ta vie.

Paddy souleva légèrement la tête et parcourut du regard l'espace où il se trouvait. S'était-il vraiment jeté de lui-même dans ce cul-de-sac? Le *Titanic* était tellement vaste, et sillonné de couloirs tellement nombreux, qu'il y avait presque toujours une issue...

Il l'aperçut, cette issue, entre deux piliers de soutien : une petite trappe dans la cloison, devant lui. Même si elle menait tout droit dehors, et de là dans l'océan, il avait déjà décidé de passer par là. Il leva les yeux vers les cylindres, essayant de chronométrer leur mouvement. Dès qu'il fut certain d'avoir assez de temps, il se précipita vers l'ouverture.

– Arrête! ordonna le mécanicien.

Avant que l'homme puisse l'intercepter, Paddy avait traversé la trappe. La bouffée de chaleur qui l'accueillit faillit le faire tomber à la renverse.

Les chaudières! Je suis dans la salle des chaudières numéro un!

Tout en crachant de la cendre, il contourna en vitesse une soute à charbon avant de se risquer à regarder derrière lui. Le mécanicien le poursuivait en criant à tue-tête. Paddy entendit distinctement le mot « clandestin ».

Maintenant, ça va vraiment chauffer!

Il se jeta sur l'échelle d'accès et commença à grimper comme un singe. Quelques secondes plus tard, il sentit la vibration de plusieurs poursuivants qui arrivaient d'en bas. Une main lui attrapa une botte, et il se mit à donner des coups de pied frénétiques. Il frappa quelque chose de solide, entendit un cri de douleur et réussit à se libérer. Il se hissa à toute vitesse sur le pont et jeta un regard affolé autour de lui. Il était maintenant sur le pont F, juste derrière la salle à manger de troisième classe.

Sans ralentir sa course, il tourna la tête et compta quatre personnes à ses trousses : le mécanicien, furieux, suivi de trois chauffeurs. La scène rappela à Paddy un livre pour enfants que Daniel lui avait montré, sur la chasse au renard en Angleterre. À l'époque, Paddy avait eu pitié du pauvre renard.

Et maintenant, c'est moi, *le renard!*

Il s'engouffra dans la cuisine de troisième classe, à la

recherche d'une cachette. Il y avait une multitude de coins et de recoins, mais aucun endroit où il ne risquait pas d'être découvert si on le cherchait avec assez de diligence.

Son indécision lui coûta quelques précieuses secondes. La porte s'ouvrit à toute volée, allant claquer contre la cloison. La lumière vive du couloir pénétra dans la cuisine. Paddy n'avait pas le temps de fuir. Ses poursuivants seraient là d'un instant à l'autre.

Sans réfléchir, Paddy donna un grand coup d'épaule dans une pile de caisses en bois. Elles dégringolèrent par terre, et le mécanicien fut forcé de reculer. Les parois de bois se brisèrent, laissant échapper 11 gros cantaloups qui roulèrent sur le pont. Un melon se retrouva sous la botte d'un des chauffeurs, l'homme s'écroula par terre avec un cri de surprise et renversa ses deux collègues qui arrivaient derrière lui.

Paddy poursuivit sa course à travers la salle à manger de troisième classe. Il sauta par-dessus les bancs et les longues tables communes. En ressortant dans le couloir, il sentit tout de suite la différence sous ses pieds : l'épaisse moquette moelleuse était celle des couloirs de première classe. Certaines des installations les plus luxueuses du *Titanic* se trouvaient dans ce secteur du pont F : la piscine chauffée, remplie d'eau salée, et les légendaires bains turcs.

Mais tout cela était sans intérêt pour Paddy. Il ne songeait qu'à fuir.

Il sut où se diriger sans même avoir décidé consciemment d'y aller, comme si ses jambes étaient contrôlées par un marionnettiste. C'était la seule cachette, à bord du navire, dans laquelle il avait espéré ne jamais devoir se réfugier : un endroit tellement froid, tellement sombre, tellement terrifiant, qu'il en avait la chair de poule rien que d'y penser. « Seulement si je n'ai vraiment pas le choix », s'était-il dit quand il avait fait cette découverte.

D'un pas rapide, il retourna dans la partie fonctionnelle du navire et se dirigea vers la proue en zigzaguant de gauche à droite. Il sentit les cloisons se rapprocher à mesure que la coque se faisait plus étroite. Il traversa à la course les quartiers des chauffeurs, où quelques hommes dormaient, et sortit sur le pont en s'efforçant de ne pas faire de bruit.

Quand il aperçut le panneau, il s'immobilisa, le souffle coupé par la boule qui venait de s'installer dans sa gorge.

Le bruit de poursuite, au loin, facilita sa décision. Il avait le choix entre l'horreur qui se trouvait au-delà de cette porte et la prison où l'attendaient deux assassins, Kevin Gilhooley et son homme de main. La réponse s'imposait d'elle-même.

Paddy ouvrit toute grande la lourde porte, et fut accueilli par une bouffée d'air glacial et une tenace odeur de graisse. Là, devant lui, la chaîne d'ancre du *Titanic* déployait ses énormes maillons noirs, dont chacun était à peu près aussi grand que lui.

Il s'avança sur la surface de fer arrondie, rendue glissante par la graisse lubrifiante. C'était encore plus dangereux qu'il l'avait craint. Il regarda en bas. Il n'y avait que la chaîne, repliée sur elle-même, qui descendait tout le long du navire jusqu'au fond de la cale, une douzaine de mètres plus bas. Au-dessus de sa tête, la chaîne disparaissait dans une étroite tige à tribord de la proue, là où était accrochée l'ancre.

Paddy enjamba un maillon et passa un bras autour d'un autre. Il se sentit alors suffisamment bien accroché pour tendre le bras et tirer sur la porte pour la refermer derrière lui. Il fut aussitôt plongé dans une obscurité presque suffocante, qui l'enveloppait comme un rideau de velours noir. Il détacha ses bretelles et les enroula autour de l'épaisse tige de fer, avec le mince espoir qu'elles soutiendraient son poids si jamais il glissait. Mais il en doutait sérieusement. S'il s'assoupissait et qu'il lâchait prise sur son maillon, il serait sûrement réduit en bouillie. Le temps que son corps soit découvert, s'il l'était un jour, il ne serait plus qu'un pitoyable tas d'os brisés.

Le temps s'écoulait avec une lenteur désespérante, chaque minute semblant durer un mois. Paddy n'avait aucun moyen de savoir depuis combien de temps il était là, mais il savait une chose : il devait rester dans ce puits aux chaînes, aussi longtemps qu'il en était humainement capable. Le deuxième officier Lightoller n'abandonnerait pas facilement. Il poursuivrait sûrement ses recherches toute la nuit.

Le garçon eut un frisson, ce qui fit couler de la graisse sur ses bras et ses jambes. Paddy Burns avait déjà survécu à bien des choses en 14 ans.

Mais il n'était pas du tout certain de survivre cette fois-ci.

CHAPITRE TREIZE

RMS *TITANIC*
DIMANCHE 14 AVRIL 1912, 6 H 10

Il n'avait pas vraiment dormi. Il était plutôt tombé dans une stupeur glacée due à l'épuisement, au froid insoutenable et à la contraction de tous les muscles de son corps, endoloris par l'effort qu'il faisait pour ne pas tomber de son perchoir sur la chaîne d'ancre graisseuse. Sa terreur à l'idée de tomber s'était émoussée, et il avait relâché sa vigilance. Il avait même somnolé un peu. Et cela ne pouvait que mener au désastre.

Depuis combien de temps était-il accroché ici, dans cet endroit hors du monde? Impossible à dire. Assez longtemps, en tout cas, pour ne plus sentir ses bras et ses jambes. S'il réussissait à sortir de là, s'il ouvrait le panneau pour retourner dans le monde des vivants, il était loin d'être sûr que son corps le soutiendrait.

Le panneau!

Il se rendit compte qu'un rai de lumière pâle dessinait maintenant le contour de la porte. La lumière du jour, c'était le matin!

J'ai survécu à la nuit!

Malgré toute l'horreur de ce qu'il venait d'endurer, la suite était sûrement encore plus risquée. Dès qu'il ouvrirait le panneau, il se retrouverait fort probablement dans les bras d'un chauffeur qui le remettrait directement à l'irascible M. Lightoller.

Mais il n'avait pas le choix. S'il passait cinq minutes de plus ici, il ne serait peut-être plus jamais capable de sortir. Il défit les bretelles qui le retenaient. Elles tombèrent, et il ne les entendit même pas toucher le fond. Puis il tendit le bras, déverrouilla le panneau, le poussa et l'ouvrit tout grand. Un instant plus tard, encore plus péniblement qu'il l'avait imaginé, il se tenait sur le pont, tremblant et épuisé.

Mais il était seul! Par une chance inouïe, il avait réussi à sortir à un moment où tous les chauffeurs étaient absents de leurs quartiers. C'était peut-être le changement de quart.

Il avança d'un pas et se figea net. Dès qu'il bougeait, il laissait dégoutter une épaisse graisse lubrifiante. Une rapide inspection lui révéla qu'il en était couvert de la tête aux pieds.

L'envie de fuir, de sortir de là avant que les chauffeurs reviennent, faillit l'emporter. Mais il se retint. Ainsi couvert de graisse, il laisserait des traces noires partout où il irait.

Il retira ses vêtements crasseux et entra dans la salle des douches. L'eau était presque bouillante, mais ses doigts et ses orteils engourdis reprirent vie au contact de la chaleur et ses muscles endoloris se détendirent.

Il avait de la chance que les chauffeurs emploient un savon très fort et grumeleux pour se débarrasser de la suie provenant des chaudières, parce que la saleté qui lui couvrait le corps ne s'enlevait pas facilement. Après s'être frotté vigoureusement, il ferma le robinet, se sentant étrangement réveillé, et en vie. Pour Paddy, la toilette se résumait généralement à une baignade dans l'eau froide d'un lac ou d'une rivière. De l'eau chaude et du vrai savon, c'était un luxe inhabituel.

Il enfila une combinaison suspendue à un crochet, qu'il roula plusieurs fois aux poignets et aux chevilles. En poussant ses bottes du pied, il sortit de la salle des douches, et faillit foncer sur un chauffeur, debout, près d'une des couchettes superposées.

Paddy baissa les yeux.

– B'jour, marmonna-t-il de sa voix la plus grave.

– Comment ça se fait que tu connaisses mon fils? demanda l'homme. Où as-tu rencontré Alfie?

Oh, Seigneur! Le père d'Alfie!

Paddy envisagea un instant d'essayer de se tirer de ce mauvais pas en se servant de son talent naturel pour inventer des histoires. Mais d'autres chauffeurs pouvaient arriver d'une minute à l'autre, et certains d'entre eux seraient sûrement au courant de la chasse à l'homme de la veille au soir. Peut-être M. Huggins lui-même. Paddy avait cru déceler un ton soupçonneux dans sa voix rocailleuse...

Paddy cria « Je suis en retard! », et se précipita vers l'échelle d'accès. Il entreprit de la descendre en vitesse, malgré la douleur qui lui sciait les bras et les jambes. Il n'avait aucune idée de l'endroit où il s'en allait. Peut-être dans l'environnement hostile des salles des chaudières?

Mais non. Il était entouré de marchandises attachées à des cloisons inclinées. Il était dans la cale avant, juste derrière le coqueron de proue.

La soute à bagages est donc tout près!

Il se précipita dans la coursive des chauffeurs et entra dans le vaste espace, maintenant familier.

Malgré son épuisement, un sentiment de triomphe l'envahit. Il avait été pourchassé pendant huit heures, et il était toujours là.

Il se glissa sous le filet et se hissa dans la grosse malle : l'endroit le plus sûr qu'il puisse trouver à bord du *Titanic*. Roulé en boule sur les tissus fins de Mme Astor, il tomba immédiatement dans un profond sommeil.

☆

Quand il fut réveillé par quelqu'un qui le secouait dans sa couchette, Alfie sentit son cœur s'affoler.

Lightoller! pensa-t-il aussitôt. *Il m'a vu hier soir!*

Mais, clignant des yeux dans la demi-obscurité, il fut soulagé de trouver son père penché au-dessus de lui.

– P'pa?

John Huggins ne quittait presque jamais le royaume des chauffeurs, dans les profondeurs du *Titanic*. Depuis qu'ils avaient pris la mer, Alfie n'avait vu son père qu'une fois ou deux à l'extérieur de l'enfer noir et orangé de la salle des chaudières numéro cinq.

L'homme au visage taché de suie le regardait d'un air inquiet.

– Alfie, où as-tu rencontré ce garçon?

– Ce garçon? Quel garçon?

– Il a apporté de l'eau aux « gueules noires » hier, insista son père. Il m'a parlé – il m'a même dit ton nom. Et je viens de le voir dans les quartiers des chauffeurs. Mais ce n'est pas un des nôtres. Qu'est-ce qu'il a à voir avec toi?

Alfie décida de jouer les innocents, mais il se sentait défaillir. Il avait toujours craint que ses rapports avec Paddy soient découverts.

– Je ne sais pas de qui tu veux parler, p'pa, mentit-il. Il y a beaucoup de jeunes dans l'équipage. Parfois même des garçons de l'entrepont nous aident pour se faire un peu d'argent.

– J'espère bien que tu me dis la vérité, mon garçon, fit John Huggins, toujours préoccupé. Il paraît qu'il y a un passager clandestin à bord. Si tu l'as aidé, c'est nos emplois à tous les deux qui sont menacés. Où est-ce qu'on pourrait trouver à travailler à l'avenir, avec une tache comme celle-là sur notre dossier?

Atterré, le jeune steward se rendit compte que son père avait raison. Sa propre imprudence, combinée à l'insouciance de Paddy, risquait de leur valoir des ennuis à tous. New York était encore à trois jours de mer. Comment réussirait-il à garder son terrible secret jusque-là?

Il eut l'impression que les murs du quartier de l'équipage se refermaient sur lui.

CHAPITRE QUATORZE

RMS *TITANIC*
Dimanche 14 avril 1912, 7 h 45

Rodney, comte de Glamford, n'était jamais de très bonne humeur le matin. C'était généralement à cause de ses revers aux cartes et des terribles maux de tête dus à ses excès de la soirée précédente.

Mais quand Juliana entra dans le boudoir de leur cabine, à son réveil, son père était dans une colère terrible.

– J'exige une explication pour ton comportement, jeune demoiselle! lança-t-il d'un ton sévère.

– Je ne vois pas du tout de quoi vous voulez parler, Père.

– Vraiment? aboya le comte. Avant que tu n'inventes un mensonge, j'aime autant te dire que j'ai assisté au spectacle dégradant auquel tu t'es livrée hier soir, et à l'entrepont, en plus!

Juliana fit de son mieux pour rester impassible. Elle ne devait surtout pas laisser son père deviner à quel point elle était humiliée qu'il l'ait vue ainsi, en train de s'adonner à un passe-temps indigne de la fille d'un comte.

Dans le chaos de la nuit dernière, toute à son inquiétude qu'il ait pu arriver quelque chose à Paddy, une seule chose lui avait paru absolument certaine : son père serait absorbé par une de ses habituelles parties de cartes et en aurait oublié le reste de l'univers.

Mais non, hélas!

L'ancienne Juliana aurait gardé son calme et enduré les remontrances de son père sans protester. Mais la jeune fille avait changé depuis le jour où elle s'était embarquée sur ce navire. Son amitié avec Sophie, avec Alfie et même Paddy, lui avait ouvert les yeux. Plutôt que de suivre aveuglément un code de conduite vieux de plusieurs siècles, pourquoi ne pas ouvrir son cœur aux gens de toutes les classes sociales et apprécier la gentillesse là où on la trouvait? Malgré les péripéties de la soirée, elle ne pouvait oublier la joie qu'elle avait éprouvée quand les fêtards de la troisième classe l'avaient accueillie à bras ouverts.

– Ce qui m'étonne, commença-t-elle d'une voix douce, c'est que malgré vos préoccupations quant à mon comportement, vous n'étiez pas là à m'attendre quand je suis rentrée à la cabine.

– Comment oses-tu? tonna le comte. J'étais tellement bouleversé de te voir tourbillonner en bas, comme une vulgaire petite bonne d'arrière-cuisine, que j'ai eu besoin de compagnie pour me calmer les nerfs!

– De 52 compagnes, j'imagine? C'est bien ce que contient un paquet de cartes, n'est-ce pas?

Enragé, le comte leva la main vers sa fille, mais il se ravisa en voyant qu'elle lui tenait tête sans broncher. Quand il reprit la parole, sa voix s'était adoucie, mais il était toujours aussi furieux.

– Petite écervelée, il y a des enjeux que tu es totalement incapable de saisir.

Étrangement, Juliana pensa à la mère de Sophie et à son indignation d'être privée du droit de vote. Jusque-là, elle n'avait pas vraiment saisi pourquoi il était si important d'être autorisée à voter pour un premier ministre qu'elle ne rencontrerait probablement jamais. Mais maintenant, elle comprenait parfaitement. Ce que Mme Bronson trouvait insultant, ce que toutes les femmes devraient trouver insultant, c'était la conviction qu'elles n'étaient pas assez intelligentes pour prendre leurs décisions elles-mêmes.

– Alors, veuillez m'éclairer, dit-elle à son père. Je ne manque pas de cervelle. Dites-moi un peu ce que sont ces « enjeux ».

– As-tu pensé à ce qui se passerait si M. Hardcastle apprenait que tu danses comme ça, avec les jupes retroussées? demanda le comte.

– M. Hardcastle? répéta Juliana. Votre partenaire d'affaires n'est pas à bord du *Titanic*, que je sache!

– Tu ne te rends pas compte que ces Américains sont de véritables machines à rumeurs et qu'ils bavardent comme des poissonnières? hurla son père. Tous les membres de la haute société sont à bord de ce navire!

– Je ne voudrais surtout pas vous mettre dans l'embarras, Père, fit Juliana en baissant les yeux. Mais je ne comprends vraiment pas comment ma conduite pourrait avoir un effet sur vos relations d'affaires avec un homme qui possède des puits de pétrole.

– C'est parce que tu ne vois pas plus loin que le bout de ton nez! M. Hardcastle a beau être américain, il accordera sûrement beaucoup d'importance à la réputation de la future épouse d'un de ses fils!

– *Épouse?* souffla Juliana, ébranlée. Mais je n'ai que 15 ans!

– Dans moins de deux ans, tu en auras 17 et tu seras en âge de te marier. M. Hardcastle a trois fils. Il est rare qu'une jeune fille bénéficie d'un tel choix.

– Je n'en choisirai aucun! s'exclama Juliana, horrifiée.

– Je t'avais bien dit que tu ne comprendrais pas. Tu n'as peut-être pas remarqué les difficultés financières de notre famille parce que tu es encore couvée comme une enfant. M. Hardcastle est un homme très riche, mais il n'y a que toi qui puisses lui donner un comte pour petit-fils.

– Alors, maintenant, j'ai des enfants, en plus? bredouilla Juliana.

– Il est de ton devoir de sauver ta famille, la sermonna son père. Le monde n'en attend pas moins des jeunes filles de ton rang. Et si elles sont bien élevées, elles le font avec joie.

Juliana repensa soudain aux sanglots incontrôlables de

sa mère sur le quai de Southampton, le jour du départ du *Titanic*.

Elle était au courant! Tout le monde était au courant, sauf moi!

Juliana aurait préféré être pendue plutôt que de laisser son père la voir pleurer. Mais elle ne put retenir ses larmes. Elle se dirigea en chancelant vers la porte de la cabine et l'ouvrit toute grande.

– Quand vous m'avez invitée à vous accompagner pour ce voyage d'affaires, sanglota-t-elle, vous avez négligé de mentionner que ce serait *moi*, la marchandise!

Elle courut à l'aveuglette dans le couloir, essayant de s'éloigner du comte au plus vite. Elle ne s'était jamais sentie aussi seule et trahie. Elle était en plein milieu de l'océan, à des milliers de kilomètres du seul foyer qu'elle ait jamais connu, et elle avait pour seul compagnon le père qui l'avait mise en vente afin de financer ses dettes de jeu, ses poneys de polo, ses aéroplanes et ses autres joujoux. Qui sait si elle reverrait sa mère un jour? Elle n'était même pas certaine d'en avoir envie. Quel genre de mère était-elle donc, pour envoyer ainsi son enfant unique dans un voyage sans retour? Oui, elle avait pleuré sur le pont. Oui, elle était sûrement triste. Mais elle n'avait pas eu pour autant le courage et la décence d'avertir sa fille du sort qui l'attendait.

Personne ne se préoccupe de ce qui m'arrive...

Elle s'arrêta brusquement et s'essuya les yeux avec ses poings. Quelqu'un s'en préoccupait. Elle se rappela le jour où Sophie et elle avaient trouvé Paddy caché dans le tiroir, sous son lit. Il lui avait dit, mot pour mot : « Tout ce blabla au sujet de votre réputation. Ce que je dis, mademoiselle, c'est qu'il y a quelque chose de pas net là-dedans. »

Même s'il venait d'un milieu totalement opposé au sien, Paddy se souciait d'elle, lui. Il avait essayé de l'avertir.

Il faut que je lui parle!

Évidemment, elle n'avait aucune idée de l'endroit où se trouvait Paddy en ce moment, surtout après les événements de la nuit dernière. Mais Alfie lui avait dit que le jeune passager clandestin s'était aménagé une cachette secrète dans une des malles des Astor, dans la soute à bagages.

C'est probablement là qu'elle avait le plus de chances de trouver Paddy.

☆

Le deuxième officier Lightoller était sur la promenade fermée du pont B quand il entendit des sanglots. Il se targuait d'être un marin sérieux, qui n'avait pas de temps à perdre avec ce genre de futilités. Mais un officier comme lui ne naviguait pas avec la crème de la société britannique et américaine sans apprendre quelques petites choses sur le service aux passagers. À bord du *Titanic*, un passager de première classe pouvait très bien avoir des amis très haut placés, au Parlement, au Congrès, ou peut-être dans la famille royale elle-même. Et s'il n'était pas content...

Mais quand il eut repéré la source des lamentations, il recula d'un pas. C'était la jeune dame Juliana, le visage rouge et brouillé de larmes. Il était facile de comprendre pourquoi. Son père lui avait sans doute fait un sermon en règle après sa participation à la fête de l'entrepont.

Lightoller, les lèvres serrées, se fit la réflexion que c'était la deuxième fois que Mlle Glamm était vue en compagnie du passager clandestin. Il aurait bien aimé l'interroger sur le sujet. Mais on n'interrogeait pas la fille du comte de Glamford comme une vulgaire criminelle. Pas à bord du joyau de la White Star Line.

Il vit soudain l'expression de Juliana changer du tout au tout. Abandonnant son air éploré, la jeune fille se mit à marcher avec détermination sur la promenade, à grandes enjambées. Il la suivit à distance.

Juliana descendit l'escalier extérieur menant au pont du coffre et entra dans le gaillard d'avant au niveau du pont C. Lightoller était perplexe. La jeune fille était maintenant dans la partie fonctionnelle du navire, et elle semblait savoir exactement où elle allait.

Sans ralentir, le deuxième officier intercepta au passage un marin de deuxième classe.

– Venez avec moi.

Le marin lui emboîta le pas.

– Où allons-nous, monsieur? demanda-t-il.

– Nous le saurons bientôt.

D'un pas toujours aussi résolu, Juliana se dirigea vers le compartiment à bagages numéro deux et descendit l'escalier en colimaçon, le bruit de ses pas résonnant doucement sur le métal.

– Elle est bien élégante pour se retrouver ici, sur les ponts inférieurs, commenta le marin en voyant Juliana descendre dans les entrailles du navire.

– Elle a l'art de se retrouver dans le pétrin, celle-là, approuva Lightoller. Et maintenant, plus un mot.

Juliana quitta l'escalier à la hauteur du pont Orlop et disparut parmi les bagages des passagers de première et de deuxième classe. Les deux hommes la suivirent le plus silencieusement possible pour éviter de se faire repérer. Dissimulés derrière les hautes piles de bagages, ils s'approchèrent doucement.

Lightoller jeta un coup d'œil au-delà d'une pile de valises en cuir. Il fronça les sourcils en voyant la jeune fille ouvrir le couvercle d'une énorme malle. Une tête et des épaules apparurent aussitôt.

Le deuxième officier s'élança.

Juliana vit ses poursuivants la première.

– Sauvez-vous, Paddy!

Mais il était trop tard. Les deux hommes saisirent chacun un bras du garçon en combinaison de travail. Paddy eut beau se démener comme un diable, ils le soulevèrent hors de la malle et le déposèrent sur le pont, sous bonne garde.

– Eh bien! jeune homme, dit le deuxième officier du *Titanic*, tu sais ce qu'on fait des passagers clandestins dans la marine marchande de Sa Majesté?

CHAPITRE QUINZE

RMS *TITANIC*
DIMANCHE 14 AVRIL 1912, 8 H 15

– Tiens, tiens, qu'est-ce que je vois là? ricana Kevin Gilhooley avec un sourire cruel. À force de jouer avec le feu, on finit par se brûler.

Derrière les barreaux de leurs cellules, le criminel et son homme de main, Seamus, regardaient Lightoller et le capitaine d'armes Thomas King pousser Paddy sur une chaise.

Sans s'occuper des prisonniers, Lightoller fixa intensément le jeune passager clandestin.

– Tu vas me dire ton nom, mon garçon, et celui du membre d'équipage qui t'a fait monter à bord de ce navire.

– Patrick Burns, fit Paddy en levant le menton. Et personne ne m'a fait monter.

– Alors, fit le deuxième officier, le visage cramoisi, ce sont les anges qui t'ont fait descendre du ciel jusqu'ici?

– Ce ne sont pas les anges. C'est votre propre grue qui m'a ramassé sur le quai, à Belfast. J'étais caché dans un ballot de linge, pour échapper à ces deux sinistres crapules, dit-il en désignant les criminels emprisonnés.

– Mettez ce garçon avec moi, suggéra Kevin Gilhooley. Et je vais me faire un plaisir de vous épargner la tâche de décider quoi faire de lui en arrivant à New York.

– Bouclez-la, ordonna King.

Lightoller n'en revenait pas.

– Tu veux dire que tu es sur le *Titanic* depuis *douze jours*? À vivre *où*? Pas dans cette boîte! Et qui t'a nourri? Mlle Glamm, manifestement, mais elle n'est à bord que depuis Southampton. Tu dois donc avoir un complice, quelqu'un de l'équipage. Le jeune Huggins?

– Je ne le connais pas, répondit Paddy.

– Mais tu m'as dit son nom, l'autre jour!

Le garçon le défia du regard.

– Si j'ai réussi à me cacher sur votre précieux bateau pendant douze jours, dit-il, je suis bien capable de répéter au hasard un nom que j'ai entendu!

– Ne me raconte pas de mensonges! aboya le deuxième officier en levant le bras pour frapper son prisonnier.

Paddy avait déjà décidé que, quoi qu'il arrive, il ne trahirait pas Alfie. Tant pis s'il recevait une raclée de Lightoller. Il avait vu pire entre les mains de son beau-père. Et ce n'était rien à côté de ce que le pauvre Daniel avait dû endurer à cause des deux hommes qui le regardaient derrière les barreaux.

– Vous ne voyez pas que ce garnement est la source de nos problèmes à tous les deux? argumenta Gilhooley. Nous pouvons sûrement nous entendre. Libérez-moi, et vous aurez l'information qu'il vous faut en cinq minutes.

Lightoller regarda Gilhooley, puis Paddy, et enfin le capitaine d'armes.

– Enfermez ces deux bandits ensemble et mettez le garçon dans l'autre cellule, ordonna-t-il. Je ne voudrais pas qu'il lui arrive quelque chose avant que j'aie eu la chance de l'interroger.

☆

– Voici votre chocolat chaud, mademoiselle Sophie, dit Alfie en lui tendant une tasse de liquide fumant. Aimeriez-vous que j'aille vous chercher une couverture? Il paraît que la température va baisser rapidement.

Sophie paraissait distraite. Elle semblait à peine remarquer le froid, sur le pont des embarcations, tandis qu'elle prenait une gorgée de sa boisson chaude.

– Je voudrais lui parler! lança-t-elle tout à coup.

– À qui? demanda Alfie, interdit.

– À M. Masterson. Ça me brise le cœur de le voir tout seul comme ça.

Alfie se mordit la lèvre.

– Vous plaisantez! s'exclama-t-il. Personne ne veut parler à M. Masterson. J'aimerais beaucoup mieux ne pas y être obligé. Et le pire, c'est qu'il m'aime bien!

– J'espère que ce n'est pas ma mère qui vous a influencé, gronda Sophie d'un air désapprobateur. Ce n'est pas parce qu'elle est Amelia Bronson qu'elle a toujours raison.

– Je ne dis pas qu'elle a toujours raison, protesta Alfie.

Mais cette fois-ci, oui.

– Comment pouvez-vous être aussi insensible? l'accusa Sophie. Le pauvre homme est tellement isolé par son infirmité. Pas étonnant qu'il soit si peu sociable! Il faudrait qu'il se sente accepté par les autres, pas refoulé encore plus loin dans sa noirceur. Je veux que vous me le présentiez. Au moins, je pourrai lui rendre le reste du voyage plus agréable.

– Je vous défends de vous approcher de cet homme, dit Alfie d'un ton sévère.

– Je n'ai pas de permission à vous demander, protesta Sophie, les sourcils froncés. Vous êtes mon steward, et aussi le sien. Personne n'est mieux placé que vous pour faire les présentations!

– Non, je refuse, insista Alfie, buté.

– Très bien, rétorqua Sophie, de plus en plus contrariée. Je vais me présenter moi-même, alors. Je suis une femme moderne. Je n'ai rien à faire des coutumes dépassées du siècle dernier.

Elle tendit sa tasse à Alfie et se retourna pour s'en aller.

– Non, attendez! Écoutez-moi! supplia Alfie.

– Je ne vois pas pourquoi, répondit froidement Sophie.

Alfie prit une grande respiration. Il n'avait pas le choix : il devait tout lui raconter.

– Vous vous souvenez de l'album de découpures que je vous ai montré, à vous et à Mlle Juliana, dans la soute à bagages? Au sujet des meurtres de Whitechapel? Eh bien, il appartient à M. Masterson.

– Ça ne m'étonne pas tellement, en fait, répondit Sophie, pensive. Un album comme celui-là, c'est bien un des seuls passe-temps possibles pour un invalide. Et, compte tenu de son infortune, il est compréhensible qu'il ait pu s'intéresser à un sujet aussi sordide qu'une série de...

Elle s'interrompit brusquement.

– Alfie, s'exclama-t-elle, vous n'êtes pas en train de me dire que ce vieil infirme, c'est Jack l'Éventreur?

– Il n'était ni vieux, ni infirme à cette époque-là, fit remarquer le garçon. Il a été blessé en 1889, exactement au moment où les meurtres de Whitechapel se sont arrêtés. C'est pour ça que Jack l'Éventreur a cessé ses assassinats! Il était physiquement incapable d'en commettre d'autres.

Alfie saisit le bras de Sophie.

– Je ne suis pas seulement votre steward, je suis aussi votre *ami*. Je ne peux pas vous laisser aller le voir. Votre mère a raison : il déteste les femmes, insista-t-il.

Sophie était ébranlée, mais elle était aussi obstinée que sa mère quand il s'agissait de défendre ses convictions.

– Il doit y avoir une explication. C'est seulement un album de découpures...

– Avec des dents? souligna Alfie.

– On n'en est pas certains...

Leur conversation fut interrompue par Juliana qui arrivait en courant, bouleversée.

– Paddy a été arrêté, et par ma faute en plus!

lança-t-elle, les joues rouges et baignées de larmes.

– Quoi? firent en chœur Alfie et Sophie.

Juliana se remit à pleurer en leur racontant comment, sans le faire exprès, elle avait mené Lightoller à la cachette de Paddy dans la soute à bagages.

– J'ai essayé de m'interposer, ajouta-t-elle, haletante d'avoir couru jusqu'au pont des embarcations. Mais M. Lightoller dit que cacher Paddy, c'est presque aussi grave que voyager soi-même clandestinement et que je pourrais être arrêtée moi aussi!

– Il bluffe! répliqua Sophie, légèrement méprisante. La White Star Line ne ferait jamais une chose pareille à une passagère de première classe, et surtout pas à la fille d'un comte.

Alfie pâlit en se remémorant la conversation qu'il avait eue avec son père au début de la matinée.

– Mais ils n'hésiteront pas à faire ça à un aide steward! Au mieux, je vais me faire renvoyer, et mon pauvre père va perdre son emploi lui aussi pour m'avoir aidé!

– Mais il *ne* vous a *pas* aidé! protesta Juliana, horrifiée.

– Je vous demande pardon, mademoiselle, mais le respect et la considération dont vous avez l'habitude... Ce n'est pas comme ça que le monde fonctionne pour les gens comme mon père et moi. La White Star Line a tous les droits, en ce qui nous concerne, et elle peut nous congédier n'importe quand, pour n'importe quel motif, ou même sans motif du tout si c'est le bon vouloir du capitaine. C'est pas pour moi que je m'inquiète, c'est surtout pour mon père. Il est à la White Star depuis presque 20 ans. Un homme de son âge, sans autre expérience de travail. Il va mourir de faim, et moi aussi probablement.

Les deux jeunes filles lui jetèrent un regard apitoyé. La vie qu'il décrivait leur était complètement étrangère. Mais elles voyaient bien, à son air affolé, qu'il leur disait la vérité.

– Qu'est-ce qu'on peut faire? demanda Sophie d'un ton pressant.

– Il ne faut pas qu'ils fassent le lien entre Paddy et moi, expliqua Alfie. Ce qui veut dire que je ne peux pas risquer d'être vu avec vous deux. Comme steward, oui, bien sûr. Mais comme ami, ce n'est tout simplement plus possible. Je suppose que vous aviez raison depuis le début, mademoiselle Julie, ajouta-t-il en regardant Juliana d'un air penaud. Ce n'est pas une bonne idée de mélanger les classes, en dehors du travail.

– Au contraire, je me suis trompée sur toute la ligne, fit Juliana en secouant la tête tristement.

– Je dois me sauver, conclut Alfie en jetant un regard inquiet sur le pont des embarcations. Surtout, pas d'imprudence pour sauver Paddy. Il est à la merci de la White Star Line, maintenant. Et peut-être que moi aussi, et mon pauvre père également.

Il s'éloigna à la hâte, laissant les deux jeunes filles accoudées au bastingage, découragées.

– Je n'aurais jamais pu l'imaginer, mais sa compagnie va me manquer, dit Juliana, l'air tragique.

– Il n'est pas mort, souligna Sophie. Il doit seulement être prudent vis-à-vis de nous, c'est tout. Mais peux-tu me dire ce qui t'a pris de descendre voir Paddy dans la cale ce matin?

Juliana se sentit à nouveau au bord des larmes et prit une longue inspiration pour se calmer.

– C'est ça, le pire. J'ai appris la véritable raison de ce voyage en Amérique.

– Ce n'est pas pour les affaires de ton père? demanda Sophie, étonnée.

– Oui. Mais sa principale affaire, c'est de me vendre au fils d'un baron du pétrole.

D'une voix tremblante, Juliana expliqua à Sophie que son père avait l'intention de la marier à l'un des fils de M. Hardcastle pour rétablir la situation financière de la famille Glamm.

– Il dit que c'est mon devoir de fille, conclut-elle, découragée.

– Il y a 100 ans, peut-être! protesta Sophie, horrifiée. Pas au 20e siècle!

– Mais qu'est-ce que *je* peux faire?

– Les femmes ne sont jamais aussi impuissantes que les hommes voudraient bien nous le faire croire, plaida Sophie. C'est ma mère elle-même qui le dit, la plus grande championne des droits des femmes que la Terre ait jamais portée! Julie, ton père peut t'emmener en bateau jusqu'en

Amérique. Il peut même te faire porter une robe de dentelle blanche et te traîner jusqu'à l'autel. Mais il ne peut pas t'obliger à dire oui.

– Bien sûr qu'il le peut, renifla Juliana.

– Il peut te faire chanter, t'intimider, te crier après jusqu'à en perdre le souffle. Mais en définitive, c'est toi qui décides, et toi seule. Allons en parler à Mère. Elle pourra t'aider.

– Demandons-lui plutôt d'aider Paddy, offrit Juliana d'un ton ferme. C'est lui qui a besoin d'aide, pour le moment. Ce qui risque de m'arriver à moi, ça n'a pas d'importance.

CHAPITRE SEIZE

RMS *TITANIC*
DIMANCHE 14 AVRIL 1912, 14 H 15

– Cinq cent quarante-six milles en une seule journée! s'écria J. Bruce Ismay, émerveillé. Très impressionnant! À cette vitesse-là, nous sommes presque assurés d'arriver mardi soir!

Le directeur général de la White Star Line se tenait à sa place habituelle, à côté du capitaine Smith, sur la passerelle de navigation du *Titanic*.

Thomas Andrews était absorbé par une page de calculs mathématiques.

– La pression de la vapeur, avec les 29 chaudières en marche, est assez différente de ce que j'avais prévu.

– En pire ou en mieux? lui demanda le capitaine avec un sourire malicieux.

– Elle est plus élevée, répondit l'architecte. Mais bien sûr, ce n'est pas nécessairement mieux d'aller plus vite.

– Quand les journaux imprimeront nos noms en gros caractères, intervint Ismay, vous vous rendrez compte que c'était beaucoup mieux!

Le premier officier Murdoch fit entrer une visiteuse et la présenta au capitaine.

– Mme Bronson voudrait vous parler, monsieur.

– Bonjour, madame, salua le capitaine Smith avec galanterie. Qu'est-ce qui vous amène sur ma passerelle?

Amelia Bronson n'était pas du genre à perdre son temps en mondanités.

– Vous avez mis un enfant au cachot, un dénommé Patrick Burns.

– Je l'y ai enfermé moi-même, intervint le deuxième officier Lightoller. C'est un passager clandestin.

– Plus maintenant, annonça Mme Bronson en ouvrant son sac de soie. Je suis prête à lui acheter un billet en troisième classe. Désormais, il sera un passager payant comme le reste d'entre nous.

– J'ai bien peur qu'il soit trop tard pour cela, madame, expliqua tranquillement le capitaine. Un passager clandestin est un voleur, au même titre que s'il avait subtilisé de l'argenterie dans la salle à manger. Même si vous payez pour couvrir son vol, il ne sera pas absous de son crime pour autant.

– Ce n'est qu'un enfant, insista la suffragette.

– Le droit maritime ne fait pas exception pour les jeunes, lui dit le capitaine Smith. Ce garçon sera traité avec humanité, mais il sera poursuivi pour le crime qu'il a commis.

Mme Bronson, dépitée, émit un grognement qui ne pouvait certainement pas être qualifié de féminin.

– Le droit maritime! Encore une excuse que les hommes ont trouvée pour malmener les plus faibles, les femmes et les enfants.

– Chère madame! protesta le capitaine. Vous savez sûrement que le droit maritime accorde une valeur suprême à la sécurité des femmes et des enfants!

– Pardon, madame.

L'opérateur radio Phillips contourna Mme Bronson et tendit un message au capitaine.

– Un message du *Baltic*, monsieur. On nous signale de nombreux champs de glace, sur latitude 41° 51' N, longitude 49° 52' O.

– C'est-à-dire à environ 200 milles devant nous, précisa Lightoller.

Le capitaine Smith jugea préférable de ne pas discuter du fonctionnement du navire en présence d'une dame. C'était ainsi que les rumeurs se répandaient.

– C'est tout, monsieur Phillips?

– Il est possible que nous ayons raté quelques autres messages pendant que l'équipement était en panne, admit l'opérateur.

Sourcils froncés, le capitaine prit le bout de papier et le tendit à Ismay sans le lire.

Le directeur général ne le lut pas non plus.

☆

Le grand escalier était l'endroit que Sophie préférait à bord du *Titanic*. Il n'était pas seulement beau, il était *éblouissant*! Combien de fois s'était-elle tenue à cet endroit exact, sur le palier du pont C, les yeux baissés vers le hall d'entrée de la salle à manger de première classe? En haut, la magnifique verrière voûtée était illuminée par le crépuscule. Les dîneurs rassemblés au-dessous semblaient illuminés eux aussi, comme si la nature elle-même dirigeait un projecteur sur tous ces gens riches et célèbres.

Ce soir-là, Juliana était avec son père. Maintenant que son déplorable projet était menacé, le comte semblait se rappeler qu'il avait une fille. La mère de Sophie, elle, était en deuxième classe, à essayer d'organiser un groupe de passagères converties à la cause des suffragettes. Sophie était donc seule : une jeune fille non accompagnée, en robe du soir. Quelques années plus tôt, la chose aurait été scandaleuse. Mais on était au 20e siècle, cet extraordinaire siècle où l'on communiquait par télégraphe, où l'on s'éclairait à l'électricité et où les navires étaient insubmersibles. Le monde avait fait tellement de progrès en quelques années! Il était difficile d'imaginer ce qu'apporterait l'avenir.

Sophie observait Alfie, qui installait M. Masterson dans un fauteuil du hall d'entrée. Elle agita discrètement la main dans sa direction, mais le jeune steward fit comme s'il ne l'avait pas vue.

Alors, c'est comme ça maintenant! se dit-elle, désolée.

Pauvre Alfie. Il ne pouvait pas risquer d'être lié à elle, ni à Juliana, ni, par association, à Paddy. Elle comprenait, mais elle était triste quand même.

M. Masterson était aussi irascible qu'à l'habitude. Il grommelait, le visage renfrogné, et repoussa même Alfie avec sa béquille pour lui faire comprendre qu'il voulait être seul. C'était en effet un personnage profondément désagréable! Mais Jack l'Éventreur? Alfie se trompait sûrement. Il devait bien y avoir une autre explication pour cet album de découpures.

Je vais aller jusqu'au fond de cette affaire, se promit Sophie.

Sa longue jupe balayant gracieusement les marches couvertes de moquette, elle descendit l'escalier jusqu'au hall d'entrée. Elle s'assit en face du vieil homme et lui tendit la main.

– Bonsoir, monsieur Masterson. Je m'appelle Sophie Bronson.

L'homme ne fit aucun mouvement pour lui serrer la main.

– Je sais, grogna-t-il. Tu es la fille de cette horrible suffrageuse.

– On dit « suffragette », corrigea Sophie, froissée.

– « Traîtresse » serait un meilleur mot. Comment appeler autrement une fauteuse de troubles qui tient des propos éhontés dans le but de bouleverser l'ordre naturel des choses?

Furieuse d'entendre sa mère se faire insulter de cette façon, la jeune fille dut faire un effort pour ne pas se lever et s'en aller. Mais elle ne devait pas s'étonner que cet homme soit aussi déplaisant. Les passagers comme les membres d'équipage se plaignaient de lui depuis que le navire avait quitté Southampton.

Elle prit une grande inspiration. On n'avait pas tous les jours l'occasion de demander à un homme d'expliquer qu'il n'était *pas* Jack l'Éventreur!

– Je vais être franche, monsieur, dit-elle. Un album qui vous appartient a été découvert par terre dans la soute à bagages. Il contient une chronique détaillée des meurtres commis à Whitechapel en 1888.

– Découvert? sursauta Masterson, les yeux agrandis de surprise. Par qui?

– C'est moi qui l'ai trouvé, mentit Sophie.

Elle ne pouvait pas risquer de causer d'autres ennuis à Alfie.

– Je cherchais une boîte à chapeaux quand j'ai remarqué qu'il était tombé de votre malle, expliqua-t-elle.

– Qui d'autre est au courant? insista le vieil homme. En as-tu parlé à des membres de l'équipage?

– Je ne veux pas vous mettre dans l'embarras, répondit Sophie en secouant la tête. Mais je suis curieuse de savoir comment vous êtes entré en possession d'un tel objet. Je sais bien que vous avez une vie difficile et que vos jambes vous font souffrir constamment. Pourtant, cela n'explique pas votre apparente fascination pour ces terribles crimes.

Masterson plongea ses yeux dans ceux de la jeune fille et la regarda attentivement.

– Je vais te donner les réponses que tu cherches, répondit-il enfin.

Sophie s'enfonça dans son fauteuil, attentive.

– Pas ici, ajouta-t-il. Pas avec toutes ces vipères trop curieuses autour de nous. Tu es la seule à avoir compris à quel point mon univers est misérable, et tu es la seule à qui je vais tout raconter. Viens me rejoindre sur le gaillard d'avant, après le dîner.

– Le pont avant? répéta Sophie, étonnée. C'est une très longue marche pour vous!

– Je dois constamment faire de l'exercice pour ne pas perdre complètement l'usage de mes jambes. Je préfère faire ça tard, le soir, pour éviter d'avoir à me frayer un chemin dans une foule de riches imbéciles. Si nous disions 23 h 30? Habillez-vous chaudement, mademoiselle Bronson, ajouta-t-il sans lui laisser le temps de répondre. J'ai entendu dire que la nuit allait être extrêmement froide.

CHAPITRE DIX-SEPT

RMS *TITANIC*
Dimanche 14 avril 1912, 23 h 25

Quand la main se referma sur sa manche, Alfie sursauta si violemment qu'il faillit laisser tomber la longue étole de chinchilla qu'il tenait à la main, et qui valait sûrement plus que ce qu'un aide steward pouvait espérer gagner en 20 ans. Il se retourna et aperçut Juliana, qui s'était approchée furtivement dans l'ombre sur la promenade extérieure du pont A, les bras croisés pour se protéger du froid.

– Mademoiselle Julie, s'écria-t-il. Vous m'avez fait peur!

– J'essaie d'être discrète dans nos rapports amicaux, chuchota la jeune fille, comme vous me l'avez demandé.

– Un des passagers m'a prié d'apporter cette étole à la compagne de M. Guggenheim, expliqua Alfie. Si je l'abîme, autant me jeter par-dessus bord!

– Je suis désolée de vous avoir effrayé, dit Juliana. Et d'avoir causé l'arrestation de Paddy. Et d'avoir attiré les soupçons sur vous. Bien franchement, en ce moment, je suis désolée de *tout* ce qui se passe dans ma vie. Et surtout de l'attitude de mon père.

– J'ai remarqué qu'il était retourné jouer aux cartes au salon.

– Je savais bien que ses inquiétudes au sujet de ma réputation ne le distrairaient pas longtemps de son premier amour, dit-elle en hochant la tête. Et Sophie est partie voir votre M. Masterson...

– Masterson?

Cette fois, Alfie laissa réellement tomber l'étole de fourrure. Il se dépêcha de la ramasser.

– Pourquoi?

– C'est son grand projet, expliqua Juliana en haussant les épaules. Elle pense que si elle se montre gentille avec lui, elle va réussir à le civiliser. Elle est partie en croisade, comme sa mère.

– Où est-elle? lança Alfie, très inquiet. Est-ce qu'elle a dit où elle devait le rencontrer?

– Sur le gaillard d'avant. Il fait sa marche tard en soirée pour...

Sans lui laisser le temps de finir sa phrase, Alfie tourna les talons et s'élança sur la promenade avant de disparaître dans un des couloirs à l'avant.

L'étole de chinchilla gisait, abandonnée sur le pont.

☆

Pendant la journée, le gaillard d'avant du *Titanic* bourdonnait d'activité. Mais le soir, l'endroit était complètement désert.

Non, *pas complètement*, se rappela Sophie en grimpant l'escalier qui montait du pont du coffre. Le mât de misaine s'élevait sur sa gauche. Elle savait que, là-haut, deux vigies surveillaient l'horizon dans le nie-de-pie. Et, bien sûr, M. Masterson était quelque part sur le pont.

L'endroit n'offrait guère de protection contre le vent glacial, et elle frissonna sous sa cape. Le lieu de rencontre choisi par M. Masterson était aussi étrange que le sujet de l'album qu'il avait réalisé pour occuper ses journées. Mais elle comprendrait ses raisons bientôt.

Elle aperçut une silhouette appuyée sur une béquille près de la balustrade.

– Monsieur Masterson?

– Approche, mon enfant, et regarde bien. La mer est lisse comme du verre.

Il parlait d'une voix bourrue, mais son ton était amical. *Il est capable d'être gentil quand on est gentil avec lui.*

– Comme un miroir, approuva-t-elle. On voit même le reflet des étoiles.

Elle attendit patiemment la suite, en souriant au vieil homme. Il lui avait promis une explication. Comme il ne disait rien, elle lui demanda doucement :

– Vous deviez tout me dire au sujet de cet album de découpures.

Pour toute réponse, il tendit le bras et la saisit par la taille avec une vigueur étonnante.

– Fille écervelée d'une mère écervelée! s'exclama-t-il. Tu n'as pas compris la preuve que tu avais sous les yeux?

Cet album, ce n'est pas un simple passe-temps! C'est une célébration de mon chef-d'œuvre!

Sophie tenta de crier, mais une main de fer s'abattit sur sa bouche. L'infirme, apparemment faible et démuni, avait dans les bras une force dix fois supérieure à celle d'un homme normal. Il plaqua la jeune fille contre la balustrade, et elle eut beau se démener, elle ne faisait pas le poids contre lui. Maintenant qu'il l'avait immobilisée, il plongea la main dans sa poche de poitrine et en sortit un objet sombre. La lumière lointaine provenant de la superstructure du *Titanic* se refléta sur une lame d'acier poli.

Sophie écarquilla les yeux, horrifiée. C'était un couteau de chasse, muni d'une longue lame dentelée.

– Pendant 24 ans, annonça triomphalement M. Masterson, mon travail a été entravé par ces jambes inutiles. Mais c'est fini, maintenant!

Il approcha son couteau du cou de la jeune fille. À la dernière seconde, d'un petit mouvement sec de la lame, il trancha délicatement son collier de perles.

– Alors, mon album de découpures t'intéresse! Ce sera peut-être une consolation de savoir que c'est *toi* qui vas figurer sur la page la plus récente! Ce bijou sera mon souvenir!

– Vous allez vous faire attraper! souffla Sophie. Et vous serez pendu!

– Je ne pense pas, répondit-il avec un sourire cruel. Tu es si petite.

Elle sentit tout à coup ses pieds quitter la surface du pont tandis qu'il la soulevait au-dessus de la balustrade.

– Et l'océan est si vaste, reprit-il.

Elle tenta d'appeler au secours, mais il ne sortit de sa bouche qu'un râle terrifié.

CHAPITRE DIX-HUIT

RMS *TITANIC*
DIMANCHE 14 AVRIL 1912, 23 H 39

Treize mètres plus haut, dans le nid-de-pie, Frederick Fleet et Reginald Lee étaient totalement inconscients du drame qui se jouait sur le pont avant. Les yeux des deux vigies étaient rivés sur l'Atlantique, à l'avant du navire.

La nuit était claire, la mer était parfaitement calme, mais leur tâche n'en était que plus difficile. En l'absence de vagues, il n'y aurait pas d'écume blanche à la base des grands icebergs, et il serait donc impossible de les repérer de loin. Et le pire, c'était l'absence de lune. Fleet espérait que les milliers d'étoiles illuminant le ciel fourniraient assez de lumière pour qu'ils puissent voir approcher la glace signalée sur les routes de navigation.

Symons, la vigie qu'ils avaient remplacée, avait insisté sur le fait « qu'on sent la glace avant d'arriver tout près ». Fleet espérait que c'était la vérité. Pour le moment, il ne sentait ni ne voyait quoi que ce soit. C'était le vide total.

Mais soudain, le vide se mit à *bouger*.

Fleet cligna des yeux. Il y avait quelque chose devant,

quelque chose de plus sombre que la nuit. Comment était-ce possible? L'instant d'après, il eut sa réponse, une réponse dont il se serait bien passé. Une forme immense arrivait sur eux, bloquant la lumière des étoiles.

Il n'y avait qu'une explication possible.

Fleet fit sonner trois fois la cloche du nid-de-pie, le signal du danger. Le cœur battant, il prit le téléphone pour appeler la timonerie.

– Y a quelqu'un? souffla-t-il.

Sur la passerelle, le sixième officier Moody répondit.

– Qu'y a-t-il?

– Iceberg droit devant.

– *Iceberg droit devant!* hurla Moody au premier officier Murdoch, qui était aux commandes.

– Tribord, toute! ordonna Murdoch.

Tout en donnant l'ordre de pousser la barre à tribord afin de faire virer le navire à bâbord, il courut vers le télégraphe de la salle des machines et composa « Machine arrière, toute ». C'était le seul moyen d'arrêter un navire en mouvement.

À la barre, le quartier-maître Hichens fit tourner le gouvernail de toutes ses forces, pesant de tout son poids comme s'il pouvait ainsi amener l'immense vaisseau à virer plus vite.

Les cinq membres d'équipage présents sur la passerelle surveillaient nerveusement la proue, impatients de voir le nez du navire s'éloigner de la forme noire menaçante qui lui barrait le passage.

☆

Alfie grimpa quatre à quatre l'escalier qui montait du pont du coffre et jeta un regard inquiet sur le gaillard d'avant, plongé dans l'obscurité. L'éclairage électrique, à la proue, avait été éteint pour la nuit afin d'aider les vigies dans le nid-de-pie.

Il entendit un faible cri, plutôt un gémissement, et pivota dans la direction d'où venait le bruit. En voyant la scène, il crut que son cœur allait s'arrêter de battre.

M. Masterson maintenait Sophie contre la balustrade, à moitié au-dessus, en fait. Et il avait dans la main droite un couteau à lame dentelée.

Alfie se mit à courir comme un fou, sans autre idée en tête que d'empêcher ce nouveau crime du meurtrier de Whitechapel, 24 ans après les autres. Il agrippa le bras qui tenait le couteau et lutta de toutes ses forces pour l'éloigner de Sophie.

– *Toi!* siffla Masterson, en projetant ses forces considérables dans son combat contre Alfie.

La lame se mit à glisser, lentement, mais inexorablement, vers la gorge de Sophie. Alfie tira de toutes ses forces, pantelant sous l'effort, pour tenter d'arrêter la progression meurtrière du couteau. En vain. Il se rappela soudain le gymnase du *Titanic*, et la force quasi surhumaine qu'avait cet homme dans le haut du corps.

Je ne le maîtriserai jamais comme ça...

À bout de ressources, il prit son élan et donna un

vigoureux coup de pied dans le genou de l'infirme.

Le hurlement de douleur qui retentit aussitôt semblait à peine humain. Masterson s'effondra comme un sac d'avoine, sa béquille tombée sur lui. Le couteau alla rebondir sur le pont.

– *Alfie!*

Maintenant libérée de l'emprise du tueur, Sophie roulait sur la lisse du bastingage; plus rien ne la retenait au navire.

Alfie plongea vers elle et réussit à lui passer les mains autour de la taille juste avant qu'elle ne tombe. Il la ramena à bord et s'écroula avec elle sur le pont.

– Ça va? souffla Alfie.

Sophie leva le menton, terrorisée. M. Masterson s'était relevé et les regardait, appuyé lourdement sur sa béquille. Il tenait à la main un petit revolver noir.

Pointé sur eux.

☆

Dans le nid-de-pie, les vigies Fleet et Lee entendirent des voix plus bas, mais leur attention resta fixée sur l'iceberg qui était maintenant juste à côté de la proue du navire.

Pourquoi est-ce qu'on ne tourne pas? se demanda Fleet au désespoir.

Il y avait une éternité qu'il avait téléphoné pour avertir la timonerie.

Sur la passerelle, le premier officier Murdoch, lui, connaissait trop bien la réponse à cette question. Le plus grand navire océanique au monde n'obéissait pas au doigt et à l'œil comme un équipage de chevaux. Murdoch avait silencieusement compté jusqu'à trente, et le navire filait toujours tout droit vers l'obstacle.

Enfin, la proue commença à virer à bâbord. L'avant du navire pivota pour s'éloigner de l'iceberg et, soudain, la montagne de glace passa juste à côté d'eux à tribord.

Murdoch retint son souffle. Avaient-ils évité la catastrophe?

☆

Masterson parlait d'une voix haletante, mais son bras était parfaitement stable tandis qu'il pointait son arme sur Alfie et Sophie.

– Pensiez-vous vraiment, gronda-t-il, exaspéré, que je laisserais un petit laquais trop curieux et une jeune écervelée m'empêcher d'accomplir ma destinée?

– Quelle destinée? répliqua Alfie. Tuer des gens? Redevenir Jack l'Éventreur?

– *Je l'ai toujours été!* aboya Masterson. Ne vous laissez pas tromper par ce corps mutilé! Si mon opération réussit, je pourrai reprendre mon travail! Pensez-y. Je pourrai poursuivre ma grande œuvre dans un nouveau pays. Mais j'ai bien peur que vous ne soyez plus là ni l'un ni l'autre pour voir ça.

On entendit un cliquetis quand il enleva le cran de sûreté de son revolver.

– Ce n'est pas l'arme que je préfère. Mais pour un vieil infirme, la simplicité est importante. Une balle, c'est toujours efficace, même quand on a des jambes qui ne servent plus. Rien ne peut arrêter une balle, j'en ai bien peur...

Concentré sur le canon de l'arme que Masterson pointait sur eux, Alfie faillit rater la suite des événements. Une énorme montagne d'un noir bleuâtre passa à tribord. L'espace d'un instant, le *Titanic* parut vibrer, comme si quelque chose grattait dans les profondeurs du navire. Loin sous la ligne de flottaison, un éperon de glace frotta contre la coque, faisant se retrousser les plaques de métal. Les rivets éclatèrent par milliers, ce qui permit à une trombe d'eau de s'infiltrer à l'intérieur, sous pression. Dans la salle des chaudières numéro six, la cloison disparut brusquement, remplacée par un torrent d'eau glacée qui balaya les chauffeurs et envoya voler de pleines pelletées de charbon.

En haut, sur le gaillard d'avant, une série de craquements sonores se firent entendre. De gros morceaux de glace s'étaient détachés de l'iceberg et s'étaient déversés sur le pont, où ils allèrent rouler sur le bois poli. L'un d'eux fit sauter la béquille sur laquelle Masterson s'appuyait de tout son poids, et l'infirme s'effondra lourdement.

Sans hésiter, Alfie se jeta sur leur assaillant et saisit à deux mains le revolver que Masterson tenait toujours solidement. Mais le tueur retrouva vite ses esprits et retourna l'arme vers le visage du jeune steward.

Alfie, aux portes de la mort, pensa soudain à sa mère. *Tu avais raison d'avoir peur de Jack l'Éventreur, maman, même toutes ces années après Whitechapel...*

La chaussure de satin rose de Sophie s'abattit sur le revolver, qui alla rouler sous la balustrade et dégringola bruyamment sur le pont du coffre.

Alfie entendit le grondement enragé de Masterson, suivi d'une claque brutale et du cri de douleur de Sophie. Il vit ensuite la béquille voler vers sa tête.

Impact détonnant, lumière aveuglante.

Et obscurité.

CHAPITRE DIX-NEUF

RMS *TITANIC*
DIMANCHE 14 AVRIL 1912, 23 H 40

Vue de la passerelle de navigation, la collision parut anodine. Il y eut un bruit sourd, puis un bref grincement qui remplaça pendant quelques secondes la vibration continue des moteurs. Mais l'iceberg qui passait à tribord, haut d'une trentaine de mètres, était impossible à rater. Immédiatement, Murdoch actionna l'interrupteur pour faire fermer les portes étanches.

Dans la salle des chaudières numéro cinq, l'eau s'engouffrait avec une telle force que John Huggins remarqua à peine la sonnerie d'alarme avant que la porte de fer commence à descendre. Des chauffeurs, trempés, arrivaient en hurlant de la salle numéro six, courant, rampant et se bousculant dans le couloir entre les deux salles. L'un d'entre eux glissa sur le pont mouillé et tomba en plein sur le visage, à quelques centimètres de la plaque métallique qui s'abaissait inexorablement... et qui aurait écrasé le pauvre homme. Mais John Huggins l'avait attrapé par le poignet et tiré vers lui juste au moment où l'épaisse porte se verrouillait en place. Le compartiment était scellé, mais l'entaille dans la coque s'étendait bien au-delà de la cloison, et la mer envahissait rapidement le ventre du *Titanic.*

Au même moment, le capitaine E. J. Smith fit irruption sur la passerelle pour prendre connaissance des rapports de ses subalternes sur les circonstances de l'accident. Il écouta attentivement, préoccupé. En navigateur expérimenté, il savait que le premier officier avait peut-être commis une grave erreur en renversant les moteurs. Un gros navire comme celui-ci était plus manœuvrable quand il avançait à grande vitesse. Si le *Titanic* avait maintenu son allure, il serait peut-être passé complètement à côté de l'iceberg.

Le capitaine Smith ne le dit pas tout haut, bien sûr. N'importe quel marin digne de ce nom savait qu'il ne servait à rien de revenir sur le passé. Tout ce qui comptait, c'était le présent. Quelle était la gravité des dommages?

Pour le moment, personne ne le savait.

– Demandez au charpentier de sonder le navire, ordonna-t-il. Et convoquez M. Andrews.

☆

Alfie reprit conscience avec un terrible mal de tête et une sensation de froid intense sur le visage. Il ouvrit les yeux et vit Sophie, penchée sur lui. Le visage tuméfié, l'air inquiet, la jeune fille lui pressait sur la joue un morceau de glace de la taille d'une brique.

De la glace... L'iceberg!

– Jack l'Éventreur! s'écria-t-il en se redressant brusquement. Où est-il allé?

– Il est parti en boitillant. Oh, Alfie, c'est vous qui aviez raison! Il a essayé de me tuer!

Alfie secoua la tête pour tenter de s'éclaircir les idées.

– Cette fois, il est pris. Le *Titanic*, ce n'est pas Whitechapel, où il pouvait disparaître dans les bouches d'égout. Et ce soir, on a un témoin vivant.

– Heureusement que cet iceberg est passé, fit Sophie en hochant vigoureusement la tête. Autrement, ce monstre nous aurait achevés tous les deux!

Alfie examina les alentours. Le pont était encombré de morceaux de glace de différentes tailles.

– Je croyais qu'il y en aurait plus, commenta-t-il. J'ai senti tout le bateau vibrer.

– J'ai lu quelque part que la majeure partie des icebergs se trouve sous l'eau, souligna Sophie. Peut-être que la collision s'est surtout produite dans la cale.

– Je crois que je devrais descendre voir comment va mon père, fit Alfie, sourcils froncés.

– Mais que fait-on de Jack l'Éventreur? protesta Sophie d'une voix où perçait une vive inquiétude. Il se promène en liberté sur le navire! Il faut avertir les officiers avant qu'il s'en prenne à quelqu'un d'autre!

– Venez avec moi jusqu'au pont E, décida Alfie. C'est Scotland Road. Il y a toujours beaucoup de membres d'équipage dans ce coin-là. On trouvera sûrement quelqu'un qui saura quoi faire.

Ils descendirent jusqu'au pont du coffre et pénétrèrent de nouveau dans le gaillard d'avant pour prendre l'escalier en colimaçon.

– Écoutez, lança soudain Sophie.

Alfie s'immobilisa.

– Je n'entends rien.

– Justement. Depuis notre départ de Southampton, le ronronnement des moteurs nous a paru aussi naturel que les battements de notre cœur. Mais il s'est arrêté. Vous ne pensez pas qu'il est arrivé quelque chose de grave, hein?

– Mon père le saura, répondit Alfie en accélérant le pas sur les marches de métal. Il a travaillé en mer toute sa vie.

En approchant du pont E, ils purent constater que Scotland Road bourdonnait d'activité. Plus que d'habitude, en fait, d'après ce qu'Alfie put en juger.

– J'irai vous retrouver quand j'aurai parlé à mon père, dit-il.

Sophie fit quelques pas, puis se tourna vers lui avec de grands yeux.

– Alfie, vous m'avez sauvé la vie.

– Et vous la mienne, répondit-il. À tout à l'heure.

Il poursuivit sa descente, de plus en plus pressé, préoccupé par le silence des moteurs. Il sentait un vent froid et humide monter des profondeurs du navire. Pourquoi n'avait-il jamais remarqué cela avant?

Après avoir descendu quelques marches, il eut l'impression de se retrouver en plein cauchemar. De l'eau sombre tourbillonnait au pied de l'escalier. Stupéfait, il remonta en vitesse sur le pont F et courut vers l'arrière, jusqu'à l'échelle qui donnait accès aux salles des chaudières.

Plus il descendait, plus c'était le chaos. Le vent était encore plus fort, mais maintenant, il était rempli de vapeur et de fumée. Les chauffeurs, dont certains étaient trempés de la tête aux pieds, pataugeaient jusqu'aux genoux dans l'eau noire. Et le bruit était assourdissant, une véritable cacophonie d'ordres pressants qui fusaient de toutes parts : « Fermez les clés de réglage! », « Voyez aux pompes! » et « Ne laissez pas l'eau atteindre les chaudières! »

– *P'pa!*

Alfie appela en vain. Ses cris se perdaient dans le désordre général. Il se laissa tomber sur le pont, les cuisses dans l'eau glacée. Elle était tellement froide que son cœur se mit à battre deux fois plus vite, ce qui fit monter sa voix d'une octave.

– P'pa!

Il se dirigea péniblement vers la salle numéro cinq, abasourdi par le tumulte ambiant. Enfin, un mécanicien le reconnut et alla relever John Huggins à la pompe dont il s'occupait.

– Tu devrais être avec tes passagers, fiston! fit son père, d'une voix qui trahissait son épuisement.

– Qu'est-ce qui se passe, P'pa?

– Le navire prend l'eau! On a dû frapper quelque

chose. Peut-être un navire plus petit? C'est déjà arrivé à l'*Olympic*.

– C'était un iceberg, précisa Alfie en secouant la tête. Mais d'où vient ce vent?

– Toute cette eau qui entre, ça pousse l'air vers le haut, dehors.

– Est-ce que le bateau est gravement endommagé? demanda le jeune steward, alarmé.

– La White Star prétend qu'il est insubmersible, répondit John Huggins d'un air sombre. On dirait qu'on va bientôt savoir si c'est vrai. Et maintenant, va retrouver tes passagers. Les dames riches n'aiment pas se faire déranger en pleine nuit, ce n'est pas bon pour le teint!

– Je ne peux pas te laisser ici! protesta Alfie.

– J'ai un travail à faire, mon garçon, et toi aussi. Allez, *vas-y*!

À mi-hauteur de l'échelle, Alfie se retourna, irrésistiblement attiré vers son père. John Huggins était retourné à sa pompe, fidèle au poste tel qu'il l'avait toujours été. Comme soutien de famille, il ne leur avait donné ni richesse, ni luxe, uniquement de longues absences qui avaient fini par faire fuir sa femme, lasse d'être toujours seule. Pourtant, Alfie pouvait être fier de son père, et il l'admirait. Sans comprendre pourquoi, il se sentait incapable de détourner son regard de lui.

Il n'avait pas sitôt mis le pied sur le pont F qu'il faillit être renversé par un homme qui arrivait en courant. Chancelant, il reconnut un des commis du bureau de poste, trempé jusqu'aux os.

– La salle de tri postal est inondée, lança le jeune homme, affolé.

Alfie eut un choc. Comment était-ce possible? Le courrier était trié sur le pont G, à un étage seulement au-dessous du pont où ils se trouvaient.

– Il y a beaucoup d'eau?

– Les colis flottent!

– Il faut informer le capitaine! s'exclama Alfie.

– L'informer de quoi? demanda une voix calme derrière eux.

Le quatrième officier Boxhall s'approchait. Il remarqua immédiatement leurs uniformes mouillés et leur air égaré.

– Il y a plus d'un mètre d'eau dans la salle de tri postal, monsieur! souffla le commis. Et c'est encore pire à l'avant! L'air qui sort a fait sauter le dessus du coqueron-avant!

– Déplacez jusqu'au pont F tout le courrier que vous pourrez prendre, ordonna Boxhall.

Et il ajouta, en se tournant vers Alfie :

– Allez mettre des vêtements secs avant de retrouver vos passagers. Il ne faut pas qu'ils croient qu'il y a un problème.

– Mais, répondit Alfie qui n'en croyait pas ses oreilles, il y a un problème!

– Ne soyez pas ridicule, mon garçon, fit le quatrième officier avec un sourire crispé. Il n'y a aucun problème tant que le capitaine ne l'a pas dit.

CHAPITRE VINGT

RMS *TITANIC*
DIMANCHE 14 AVRIL 1912, 23 H 45

Dans la cabine B-56, Juliana avait perçu la collision comme un simple frôlement, une brève interruption dans la progression constante du navire. Quelques instants plus tard, elle entendit des voix dans le couloir : des questions polies de certains passagers de première classe et les réponses rassurantes de leurs stewards.

– Il a été question d'un iceberg, mademoiselle, dit l'aide steward Tryhorn à Juliana. Je suis sûr que nous allons le savoir très bientôt.

La plupart des gens retournèrent se coucher, mais quelques intrépides s'enveloppèrent dans un manteau pour aller jeter un coup d'œil sur ce phénomène propre à l'Atlantique.

Quand Juliana finit par sortir sur la promenade du pont A, il n'y avait plus d'iceberg en vue. Mais en baissant les yeux, elle put constater que le pont du coffre et le gaillard d'avant étaient couverts de morceaux de glace. De jeunes passagers de première classe, en smoking, avaient organisé un match de soccer impromptu avec quelques gros morceaux, et leurs rires résonnaient dans la nuit froide. La scène lui rappela les histoires qu'elle avait entendu raconter sur la jeunesse de son père, une jeunesse dorée, insouciante, consacrée au plaisir. Son père n'avait vraiment pas beaucoup changé, se dit-elle, sauf qu'il n'avait plus d'argent.

C'est en retournant à sa cabine qu'elle rencontra Alfie, trempé et décoiffé. Son apparence fut, pour Juliana, le premier signe que tout n'allait peut-être pas pour le mieux à bord du *Titanic*.

– Alfie! Pourquoi êtes-vous mouillé comme ça?

– Je ne suis pas censé inquiéter les passagers, bredouilla-t-il. J'ai reçu l'ordre d'aller me changer.

– Est-ce à cause de l'iceberg?

– Il y a des dommages, mademoiselle Julie. Des dommages sérieux, j'en ai bien peur!

– Mais ce n'était qu'un petit coup!

– Ici, en haut, peut-être, expliqua rapidement Alfie. Mais je suis allé voir mon père, en bas. Ils pompent comme des déchaînés, mais l'eau continue de monter. Il y en a jusque sur le pont G, dans la salle de tri postal!

– Où est Paddy? demanda Juliana, qui avait blêmi.

– Dans le bureau du capitaine d'armes, sur le pont E.

– Si l'eau peut atteindre le pont G, elle peut monter jusqu'au E!

– Mais s'il y a de l'eau dans les cellules, souligna Alfie, je suis sûr qu'ils vont déplacer les prisonniers.

Ils se regardèrent, soudain inquiets. Dans une situation d'urgence comme celle-là, l'équipage du *Titanic* aurait-il le temps de se préoccuper des prisonniers? Ou même de se souvenir des pauvres gens qui étaient enfermés dans les cellules, incapables d'aller se réfugier plus haut?

– Il faut aller voir si tout va bien là-bas, insista Juliana.

– Je dois m'occuper de mes passagers... commença Alfie.

– Eh bien, je *suis* une de vos passagères, protesta la jeune fille. Et je veux aller voir si Paddy va bien.

☆

Depuis cinq jours, près de 900 membres d'équipage, une véritable armée, faisaient des pieds et des mains pour répondre aux moindres désirs de Sophie. Mais, maintenant qu'il y avait un tueur en cavale, elle n'en trouvait pas un seul prêt à s'occuper d'elle.

Ce n'était pas le personnel qui manquait, mais tout le monde était pressé et à peu près personne ne faisait attention à elle. Quelques membres d'équipage, plus gentils que les autres, lui avaient promis de lui reparler plus tard.

– Mais il y a un assassin à bord! protesta-t-elle quand le troisième officier Pitman fit mine de l'ignorer comme la plupart des autres.

Il se retourna et lui jeta un regard ébahi.

– Mais non, chère demoiselle, c'était un *iceberg*!

Et il s'éloigna à son tour.

Des « gueules noires », trempés et encore plus sales que

d'habitude, émergeaient l'un après l'autre des profondeurs du navire, à la recherche d'officiers. Tout en haut, le bruit sinistre de la corne de brume s'éleva des imposantes cheminées. Dans Scotland Road, le bruit était atténué, mais sur le pont, il devait être assourdissant.

– Pourquoi est-ce qu'on entend la sirène? demanda Sophie. Y a-t-il un autre navire trop près de nous?

– C'est simplement pour faire sortir la vapeur, mademoiselle, répondit un des chauffeurs. La pression est trop forte, maintenant que les moteurs sont arrêtés.

En se retournant, elle fut projetée à terre par un passager de l'entrepont qui arrivait à toute vitesse.

– Désolé, mademoiselle!

Le jeune homme l'aida à se relever, et elle se rendit compte qu'elle le connaissait. Elle avait même dansé avec lui la veille au soir, en troisième classe.

– Pourquoi êtes-vous si pressé?

Aidan Rankin la regarda comme si elle était simple d'esprit.

– Vous n'avez rien senti? Il doit y avoir une chaudière qui a explosé!

– Nous avons frappé un iceberg, expliqua Sophie. Je l'ai vu. Mais c'était juste une petite égratignure.

– Une petite égratignure? Je suis tombé de ma couchette, rien de moins! J'ai perdu connaissance et, quand je me suis réveillé, il y avait de l'eau sur le pont! Je pense qu'on est en train de couler!

– Le *Titanic* est insubmersible, il ne peut pas couler,

avança-t-elle, rassurante.

– Il faut que je trouve ma mère et mes frères!

Et il s'éloigna en courant dans Scotland Road.

Sophie ressentit un malaise croissant. Elle avait la désagréable impression que la présence de Jack l'Éventreur n'était peut-être pas la plus grave menace qui pesait sur elle à bord de ce navire. Elle décida de retourner en première classe pour aller retrouver sa mère. Amelia Bronson ne connaissait rien à la navigation, mais en cas de crise, elle prenait toujours les choses en main.

Sophie se précipita vers l'escalier le plus proche, monta une marche et se figea. Il y avait quelque chose qui n'allait pas. On aurait dit que la marche avait été *déplacée*... et très légèrement penchée vers l'avant. Pourtant, c'était impossible. L'escalier formait un bloc solide. Et il paraissait parfaitement horizontal.

Pourtant, elle avait une drôle d'impression. Le stress de la soirée lui avait peut-être brouillé l'esprit? C'était sûrement ça. Autrement, la seule explication possible pour l'inclinaison de l'escalier, c'était que tout le navire...

– Sophie!

Juliana apparut sur le palier, en provenance des ponts supérieurs, Alfie sur les talons.

– Est-ce que c'est une impression, ou ces marches sont penchées? leur demanda Sophie.

– La proue est en train de se remplir d'eau, répondit Alfie, hors d'haleine. J'en avais presque à la taille dans les salles des chaudières, et c'est encore pire devant.

– As-tu vu Paddy? demanda Juliana.

– Paddy? Il est au cachot, non?

– Il faut nous assurer qu'il est envoyé quelque part en sécurité, poursuivit Alfie.

– Mais... protesta Sophie. Le *Titanic* ne peut pas couler!

– Le navire a beau être insubmersible, ça n'aidera pas beaucoup Paddy s'il a de l'eau par-dessus la tête et qu'il est enfermé! souligna Juliana.

Sophie avisa l'uniforme trempé d'Alfie.

– Il n'y a pas d'eau ici. J'ai vu des gens mouillés, mais ils arrivaient tous d'en bas.

Alfie, un doigt sur les lèvres, leur fit signe de se taire. Ils tendirent l'oreille tous les trois. Ils entendaient le lointain grondement des cheminées, et la rumeur des conversations dans Scotland Road. Mais il y avait aussi un autre son, plus discret, mais constant. On aurait dit un torrent pendant un gros orage.

Alfie précéda les deux jeunes filles vers l'avant. Le couloir bifurquait à tribord à peu près à l'endroit où se trouvait, d'après les déductions d'Alfie, le compartiment à bagages numéro deux. Ils traversèrent bientôt les quartiers des marins, complètement déserts. En ce moment, l'équipage au complet avait été mis à contribution pour répondre à cette urgence et pour... pour faire quoi, exactement? Actionner les pompes? Que pouvait-il y avoir de plus à faire sur un navire insubmersible?

Le son était plus fort maintenant, comme une rivière

en crue. Les trois amis avaient atteint l'escalier en colimaçon. Alfie jeta un coup d'œil. L'eau tourbillonnait autour des marches de fer forgé, à quelques pas seulement en dessous d'eux.

– Mon Dieu, il y a 15 minutes, l'eau était seulement rendue au pont Orlop!

– Elle monte vite! fit Juliana d'une voix tremblante. Il faut trouver le capitaine d'armes et le convaincre de déplacer Paddy!

– Pas encore, répondit Alfie.

Il continua d'avancer. Les parois étaient de plus en plus courbées vers l'intérieur, à mesure que la coque du navire se rétrécissait près du gaillard d'avant. Le couloir se terminait sur une lourde porte d'acier. Un panneau indiquait qu'il s'agissait des quartiers des lampistes.

Il cogna à la porte.

– Hé! Y a quelqu'un?

Pas de réponse. De l'autre côté de la cloison, on n'entendait qu'un bruit sourd, comme un râle profond. Mais le bruit n'avait rien d'humain.

Alfie fit tourner la roue qui permettait d'ouvrir la porte. Il y eut une légère résistance, puis il entendit un « clic » et poussa avec l'énergie du désespoir.

La porte ne bougea pas.

Les deux jeunes filles se joignirent à lui, en poussant de toute la force de leurs frêles épaules. On aurait dit qu'un poids très lourd, de l'autre côté, les empêchait d'ouvrir la porte.

Enfin, la porte d'acier céda, et un torrent d'eau se déversa sur eux avec une puissance inouïe.

CHAPITRE VINGT ET UN

RMS *TITANIC*
LUNDI 15 AVRIL 1912, MINUIT

Balayés par la violence du courant, Alfie et les deux jeunes filles perdirent pied et furent emportés dans le couloir.

Tout s'était passé tellement vite qu'ils furent transportés sur une dizaine de mètres vers l'arrière avant de se rendre compte à quel point l'eau était froide. Alfie alla s'écraser contre une cloison et ouvrit les bras le plus grand possible pour éviter le même choc brutal à Sophie et Juliana. Ils glissèrent tous les trois ensemble à l'angle du couloir jusqu'à ce que le torrent se calme suffisamment pour qu'ils puissent se relever, crachant et toussant. Le pont E était couvert de plusieurs centimètres d'eau.

– Paddy... gargouilla Juliana.

– D'accord! haleta Alfie.

Les trois amis pataugèrent jusqu'au bureau du capitaine d'armes. L'eau s'infiltrait par la porte ouverte. Les deux cellules à l'arrière de la pièce étaient occupées, l'une par Paddy, l'autre par Kevin Gilhooley et Seamus. Les prisonniers avaient déjà de l'eau jusqu'aux chevilles.

Gilhooley secouait les barreaux de sa cellule, en appelant le capitaine d'armes dans un langage que les deux jeunes filles n'avaient jamais entendu de leur vie.

– Qu'est-ce qui se passe? demanda Paddy, inquiet. Qu'est-ce qu'on a frappé?

– Un iceberg, répondit Alfie. Où est M. King, le capitaine d'armes?

– La collision l'a fait tomber de sa chaise, littéralement. Il a décampé comme s'il avait été frappé par un boulet de canon.

– Cette ordure de poltron! rugit Gilhooley. Il nous a laissés ici, et tant pis si on se noie!

– Mais deux gros lourdauds qui essaient de me jeter par-dessus bord, ça, c'est acceptable et honorable! répliqua Paddy.

Sophie se précipita dans le couloir.

– Monsieur King! Monsieur King!

Pas de réponse. Le couloir était désert, envahi par l'eau de mer qui entrait par la porte des lampistes. La jeune fille s'élança vers Scotland Road. Il y aurait sûrement des membres d'équipage par là.

Le vaste couloir était rempli de gens, mais ce n'était pas des marins. Les passagers célibataires de troisième classe, qui logeaient près de la proue, couraient se réfugier à l'arrière, transportant toutes leurs possessions dans des baluchons ficelés à la hâte.

– Est-ce qu'il y a un officier parmi vous? demanda la

jeune fille d'un ton pressant.

– Oh, des dizaines, répondit un jeune Irlandais, sarcastique. Et notre cher prince de Galles est ici aussi. Il est en train d'écoper!

– N'allez pas par là, mademoiselle, intervint plus gentiment un homme d'un certain âge. Les cales sont inondées, et l'entrepont aussi!

Sophie tourna les talons et retourna en courant vers la prison. Elle progressait de plus en plus difficilement, ralentie par le poids de sa jupe gorgée d'eau.

– Pas de trace du capitaine d'armes, ni des autres membres d'équipage! annonça-t-elle d'une voix désespérée. Le pont E va se retrouver sous l'eau en un rien de temps!

Alfie se mit à fouiller dans le bureau de Thomas King.

– Où est-ce que M. King garde ses clés?

– À sa ceinture, l'imbécile! grogna Seamus.

– Mais il y a sûrement une deuxième clé! insista Juliana.

– Reculez! ordonna Alfie.

Il ramassa la chaise de bois qui flottait depuis quelques instants, et la lança de toutes ses forces sur la porte de la cellule de Paddy. La chaise fut réduite en miettes, mais la serrure tint bon.

– Trouvez une hache d'incendie! supplia Sophie, qui frissonnait maintenant qu'elle avait de l'eau au-dessus des genoux.

– Pas besoin! s'exclama Paddy d'une voix pressante.

– Qu'est-ce que vous allez faire? demanda Juliana, qui commençait à paniquer. Sortir de là par la seule force de votre volonté?

– Donnez-moi vos épingles à cheveux! ordonna Paddy aux deux jeunes filles.

– *Nos épingles à cheveux?*

Alfie revit son ami crocheter la serrure de la malle des Astor. Pour Paddy, une épingle à cheveux était aussi efficace qu'une clé.

– Allez! insista-t-il.

Sans hésiter, Juliana et Sophie lui tendirent un assortiment d'épingles de différentes formes et de différentes tailles, sans se soucier de voir leurs cheveux se répandre sur leurs épaules.

Paddy se mit aussitôt à la tâche. Il choisit une longue épingle en or et une autre plus courte et plus plate, en nacre. Pressant son visage contre les barreaux, il sortit ses doigts de la cellule, inséra ses « outils » dans la serrure et se mit au travail, les muscles de ses mains frémissant sous sa peau.

Juliana claquait des dents. L'eau lui arrivait à la taille.

– Vous ne réussirez jamais!

Malgré la pression, Paddy la regarda avec un sourire moqueur.

– Je ne suis peut-être pas un parfait gentilhomme, mademoiselle, mais ça, je sais le faire.

On entendit un claquement sonore, et la porte s'ouvrit à la volée. Paddy sortit de sa cellule en barbotant.

– Tu n'as pas fini d'entendre parler de moi, espèce de rat de quai! cria Kevin Gilhooley dans l'autre cellule. Je te conseille de rester sur tes gardes! Même si je meurs, n'oublie pas que tu mourras un jour, toi aussi! Et je serai là à t'attendre, en enfer!

Les quatre amis sortirent dans le couloir rempli d'eau, poursuivis par les menaces du criminel.

Ils prirent un escalier, en face du bureau, dont les cinq premières marches étaient complètement immergées.

Paddy fermait la marche, poussant et soutenant les jeunes filles devant lui.

– Je n'en reviens pas que vous ayez fait ça pour moi! dit-il, émerveillé.

– C'est ma faute, si vous avez été arrêté, vous savez, déclara Juliana.

– Mais je ne suis rien pour vous! protesta Paddy, les yeux écarquillés. Je ne suis rien pour personne.

Sophie se retourna, aspergeant du même coup Alfie qui montait devant elle.

– Il ne faut pas dire ça! C'est terrible! Vous êtes notre ami! s'exclama-t-elle.

– Et tu ferais la même chose pour nous, renchérit Alfie.

Oui, c'est vrai, je le ferais, reconnut intérieurement Paddy. Avant ce pauvre Daniel, Paddy n'avait jamais eu d'ami de sa vie. Et il ne pensait plus en avoir après la mort de Daniel. Pourtant, il y avait ces trois-là, qui n'avaient pas hésité à braver l'eau glacée, sur un navire en détresse, pour lui venir en aide. Quel drôle de moment et d'endroit pour découvrir que la vie valait la peine d'être vécue!

Après la cinquième marche, Sophie sentit ses frissons diminuer. Mais ses chaussures fines pataugeaient toujours dans une mince couche d'eau venue d'en haut.

– Il y a de l'eau sur le pont D! lança-t-elle, haletante.

– C'est impossible! s'exclama Alfie.

– Alors, pourquoi est-ce qu'il y a de l'eau qui coule dans l'escalier?

– Mais...

Alfie comprit soudain la situation.

– La proue est tellement pleine d'eau que les compartiments étanches sont remplis jusqu'en haut! s'écria-t-il. Ça, c'est l'eau qui déborde!

– Mais le navire ne peut pas vraiment couler, protesta Juliana. N'est-ce pas?

– Je pense qu'on va le savoir bientôt, répondit Alfie en reprenant les paroles de son père. On a bien fait d'aller chercher Paddy. La prison va être inondée d'une minute à l'autre. Vite!

Les jeunes filles accélérèrent le pas, mais Paddy s'immobilisa brusquement à mi-hauteur de l'escalier, le visage fermé.

– Je ne peux pas les laisser là, dit Paddy doucement, autant pour lui-même que pour les autres.

– Laisser *qui*? demanda Alfie.

– Gilhooley et Seamus.

– *Ces bandits*? protesta le jeune steward, ahuri.

– Je ne peux pas les laisser se noyer.

– Et pourquoi pas? rugit Alfie. Ils ont tué ton ami! Et ils ont failli te tuer aussi! Ils méritent d'être dans cette cellule! Quel que soit le sort qui les attend, c'est bien leur faute s'ils se sont retrouvés là!

– Tu as raison, approuva Paddy en hochant la tête. Ils *méritent* de mourir. Mais pas comme ça, pas enfermés dans une cage comme des rats. C'est un sort que je ne souhaite à personne.

Alfie saisit son ami par les épaules.

– Et tu t'attends à ce qu'ils te remercient de leur avoir sauvé la vie? Dès que tu les auras laissés sortir, ils vont te tuer sans hésiter, comme s'il s'agissait simplement de te serrer la main!

– Reste avec les filles, répondit Paddy. Mets-les en sécurité. Je viendrai vous retrouver si je peux.

Et il fit demi-tour vers le pont E, maintenant totalement inondé.

CHAPITRE VINGT-DEUX

RMS *TITANIC*
LUNDI 15 AVRIL 1912, 0 H 09

Lorsque Paddy entra dans le bureau du capitaine d'armes, il avait de l'eau aux épaules, et les deux prisonniers presque autant.

– Si tu es venu assister à notre noyade, railla Gilhooley, tu ferais mieux de te regarder, espèce de petit avorton. Tu embrasseras les poissons avant nous!

Sans un mot, Paddy prit les épingles à cheveux qu'il avait glissées dans sa poche. Après une longue inspiration, il plongea sous l'eau pour s'attaquer à la serrure de la deuxième cellule.

Complètement immergé dans l'eau glacée, Paddy sentait la paralysie le gagner. Les muscles raidis par le froid, il bougeait de plus en plus lentement. Le sel lui piquait les yeux, et il luttait pour les garder ouverts tout en s'efforçant de faire travailler ses doigts gourds. Mais le manque d'oxygène lui brouillait la vue, et il dut remonter à la surface pour prendre une bouffée d'air.

Il se rendit compte que Gilhooley et son comparse le

regardaient avec étonnement, ébahis qu'il soit venu les secourir. Mais il ne se soucia pas d'eux. Ce n'étaient pas les assassins de Daniel qu'il avait entrepris de sauver. C'étaient deux vies humaines.

Il retourna sous l'eau, en essayant de retrouver l'habileté avec laquelle il farfouillait généralement dans les serrures avec des épingles à cheveux. Paddy avait appris à crocheter des serrures dès son plus jeune âge. Mais il ne l'avait jamais fait dans de telles conditions, les mains engourdies, les yeux brûlants et les poumons privés d'air.

Quand il remonta de nouveau, à bout de souffle, il avait de l'eau jusqu'aux narines et dut se hisser sur la pointe des pieds pour respirer par la bouche. *Alfie a raison. Pourquoi est-ce je perds un temps précieux pour ces deux hommes qui n'en valent pas la peine? Dans quelques minutes, l'eau arrivera jusqu'au plafond...*

Pourtant, il redescendit une troisième fois, déterminé à réussir. Ses extrémités étaient tellement insensibles qu'il faillit rater le léger « clic » révélateur. D'un seul coup, il ouvrit la serrure et se redressa pour respirer. Mais juste au moment où il s'apprêtait à ouvrir la bouche, il saisit toute l'horreur de la situation.

Je suis encore sous l'eau!

Il avait de l'eau par-dessus la tête.

Sa panique fut immédiate et totale. Son cerveau suppliait pour avoir de l'air, et il dut lutter contre l'envie d'inhaler qui montait de tous les coins de son corps et de son âme. S'il avait de l'eau salée dans les poumons, il se noierait. Mais s'il ne pouvait pas respirer, il perdrait certainement connaissance, et le résultat serait le même.

La porte de la cellule s'ouvrit toute grande, ce qui le souleva du sol. Tombant et flottant en même temps, il s'éloigna jusqu'à ce que son épaule touche soudain un objet dur.

Il se força à ouvrir les yeux. Le bureau!

En proie au délire, à cause du manque d'oxygène, il se hissa péniblement sur le bureau. La noirceur envahissait graduellement son champ de vision. Il allait s'évanouir...

Non! Pas si près du but...

Rassemblant le peu de force qui lui restaient, Paddy se redressa de toute sa hauteur. Sa tête fit surface, et il inspira goulûment, absorbant bouffée après bouffée l'air le plus délicieux qu'il ait goûté de sa vie.

Il ne restait qu'une vingtaine de centimètres entre l'eau qui montait et le plafond. Paddy aperçut Gilhooley et Seamus derrière lui, la tête au-dessus de l'eau, qui s'efforçaient de sortir du cachot à la nage. Paddy remplit à nouveau ses poumons d'air et plongea du bureau. L'eau salée augmentant sa flottaison, il fut hors de la pièce en quelques bonds et s'élança vers l'escalier inondé.

Il grimpa les marches à toute vitesse jusqu'à l'air libre, en pataugeant dans quelques centimètres d'eau vers le pont D. Il venait d'arriver en haut quand la voix de Gilhooley lui parvint.

– Mon garçon... Reviens!

Paddy poursuivit sa course. Revenir? Pas question, et pas seulement parce que le criminel et son homme de main avaient déjà tenté de l'assassiner une fois au cours de la traversée.

La White Star Line croyait peut-être que le *Titanic* était insubmersible, mais Paddy était convaincu que ce n'était pas le cas. Le dessin de Daniel montrait bien que le navire pourrait couler. Et Paddy n'avait jamais connu personne d'aussi intelligent que Daniel.

La question était donc la suivante : la mystérieuse solution dessinée par Daniel, la chose capable de faire couler le *Titanic*, pouvait-elle être une masse inerte de glace flottante?

Mais ce n'était pas le moment de réfléchir à tout cela. Même si Paddy Burns n'était jamais allé à l'école, les rues de Belfast lui avaient appris bien des leçons de survie.

Il avait le sentiment que les heures à venir seraient les plus éprouvantes de son existence.

CHAPITRE VINGT-TROIS

RMS *TITANIC*
Lundi 15 avril 1912, 0 h 05

Dans le confort de la cabine A-17, en première classe, Robert Masterson ignorait que le *Titanic* était en train de se remplir d'eau. Le pont A lui paraissait solide comme le roc, beaucoup plus solide, en fait, que les jambes chancelantes sur lesquelles il était forcé de s'appuyer.

De toute manière, son esprit était occupé par ce qui venait de se produire sur le gaillard d'avant. Pour la première fois en 24 ans, il avait tenté de reprendre le travail interrompu par son accident. Il avait échoué. C'était malheureux, mais c'était une simple question de circonstances.

Jack l'Éventreur était ressuscité! Et quand ce médecin de New York lui aurait rendu ses jambes...

Il mourait d'envie de parcourir le navire et de terminer la tâche qu'il avait entreprise ce soir. Le jeune steward avait déjà payé d'un méchant coup au crâne son intervention intempestive. Son corps passerait bientôt par-dessus bord. Et cette horrible jeune fille avec lui.

Mais le temps n'était pas encore venu. Il y avait une foule de gens qui circulaient sur le navire, sans doute excités de voir de la glace éparpillée sur le pont. Quels imbéciles! Comment pouvait-on se laisser captiver par un stupide iceberg quand il y avait d'aussi grandes choses qui se préparaient?

Non, pour le moment, il était préférable qu'il reste dans sa cabine. Si un officier venait frapper à sa porte pour enquêter sur l'histoire abracadabrante qu'avait sûrement racontée la jeune fille, il pourrait prétendre qu'il n'était pas sorti depuis le dîner. Ce serait sa parole contre celle d'une vulgaire femelle. Or, tout le monde savait qu'on ne pouvait pas se fier aux femmes, ces écervelées! De toute manière, qui pourrait croire un pauvre infirme capable de commettre une tentative de meurtre?

Il s'enfonça dans son fauteuil. Dans une heure ou deux, l'excitation générale retomberait. Il pourrait alors prendre sa revanche.

Encore une fois, la nuit appartiendrait à Jack l'Éventreur.

ÉPILOGUE

RMS *TITANIC*
Lundi 15 avril 1912, 0 h 09

Le *Titanic* était immobilisé au milieu de l'Atlantique, dans le formidable grondement de ses trois cheminées actives qui laissaient échapper un trop-plein de vapeur.

Sur la passerelle, le capitaine Smith et Thomas Andrews revenaient d'une rapide inspection du navire. Ils parlaient d'une voix calme, mais leurs regards laissaient percer l'incrédulité et l'inquiétude dans lesquelles les avait plongés l'état des lieux.

– Il y a de l'eau dans le coqueron-avant, dans les deux cales avant et dans la salle de tri postal, et aussi dans les salles des chaudières cinq et six, résuma le capitaine en déchiffrant les notes gribouillées à la hâte par l'architecte. Pour l'instant, l'eau n'a atteint que cinq compartiments, mais tout l'avant est inondé.

Thomas Andrews hocha la tête, consterné.

– Il y a donc une brèche de... de près de 100 mètres de long, annonça-t-il après un rapide calcul mental.

– Ce qui veut dire...? demanda le capitaine en le

regardant dans les yeux.

Un bref éclair d'émotion passa dans le regard habituellement placide de l'architecte naval.

– Le navire peut flotter même si quelques-uns de ses compartiments étanches sont inondés. Même trois des cinq premiers. Il peut survivre à une collision frontale qui détruirait complètement ses quatre premiers compartiments. Mais en ce moment, poursuivit-il en redressant les épaules, les cinq premiers compartiments ont été défoncés, et le poids nous attire vers le fond. Avec le temps, la proue va descendre tellement bas que le cinquième compartiment va déborder dans le sixième, qui va finir par déborder dans le septième, et ainsi de suite. C'est une certitude mathématique.

– Qu'est-ce que vous dites là, mon ami?

Thomas Andrews inspira profondément.

– Que le *Titanic* est condamné.

GORDON KORMAN

a commencé à écrire quand il avait à peu près l'âge des héros de ses romans. Son premier livre *Deux farceurs au collège* a été publié alors qu'il n'avait que quatorze ans. Il a écrit cinq autres livres avant même de terminer ses études secondaires. Depuis, ses romans pour jeunes adultes se sont vendus à des millions d'exemplaires et ont fait le tour du monde. Il est l'auteur des collections *Sous la mer*, *Everest, Naufragés* et *Droit au but,* et plus récemment de la collection comprenant *L'escroc*, *L'évasion* et *Piégé*. D'origine montréalaise, il habite maintenant à New York avec sa famille.